PPT로 책 출간 2

PPT로 100년 수입 창출 책 쓰기, 책 출간

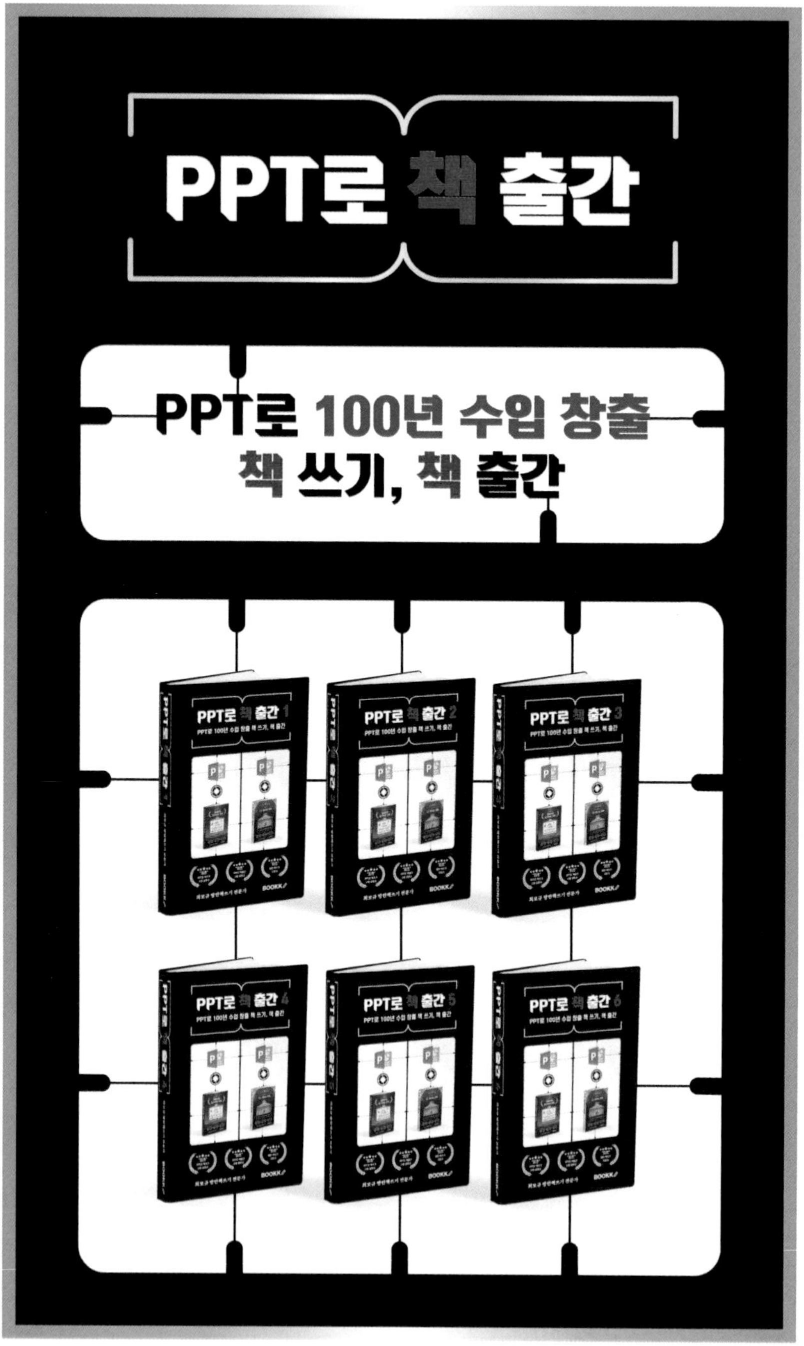
PPT로 책 출간
PPT로 100년 수입 창출
책 쓰기, 책 출간
PPT로 책 출간 1
PPT로 책 출간 2
PPT로 책 출간 3
PPT로 책 출간 4
PPT로 책 출간 5
PPT로 책 출간 6

PPT로 책 출간 목차

★ 책 소개
스펙, 내공, 가치, 값어치

♥ 방탄book 창시자 소개

1장 책 쓰기, 책 출간 본질

2장 출판 선택
(5가지 출판 장, 단점)

3장 PPT로 종이책 만들기 매뉴얼

4장 출판사 등록 매뉴얼

5장 PPT로 전자책 (PDF) 만들기 매뉴얼

6장 전자책 등록 매뉴얼

7장 책 마케팅

8장 6가지 수입 연결
1수입 2수입 3수입 4수입 5수입 6수입

PPT로 책 출간

만나서 반갑습니다!
좋은 일이 생길 거예요!

가슴이 설레는 만남이 아니어도 좋습니다.
가슴이 떨리는 운명적인
만남이 아니어도 좋습니다.
만남 자체가 소중하니까요!

머리말

지금 시대는 노오력이 배신하는 시대이다. 자신 분야 올바른 노력을 해야지만 살아남는다.

열심히 사는 것과 진짜 원하는 삶을 사는 삶의 차이가 무엇인지 아는가? 열심히만 사는 것은 노오력(시간, 경험만 채우는 노력)이고 원하는 삶을 사는 삶은 올바른 노력(어제보다 나음, 변화, 성장, 수입 상승)이다.

PPT를 활용해서 일을 하는 사람들이 많다. 누군가는 PPT를 활용해서 경력만 쌓고 일만 한다. 일할 때 외에는 활용하지 않는다. 하지만 누군가는 PPT를 활용하여 책을 출간해서 제2수입, 제3수입을 올린다. 왜 가지고 있는 경력, 가지고 있는 PPT를 썩히고 있는가? 자신 분야 경력과 PPT로 노오력이 아닌 올바른 노력을 해야 한다. 책 쓰기, 책 출간도 올바른 노력을 해야 한다는 뜻이다. 노오력과 올바른 노력 차이를 비교해 주겠다.

노오력은 한 달에 책 10권만 읽는 사람.

올바른 노력은 한 달에 15권을 읽고 책 4권 출간을 해서 자신 분야 결과를 만들어 내는 사람.

노오력은 1년에 책 100권만 읽은 사람.

올바른 노력은 1년에 책 150권을 읽고 50권 출간을 해서 자신 분야 결과를 만들어 내는 사람.

노오력은 3년 동안 책 300권 만 읽는 사람. (책만 많이 읽는다고 결과가 나오는 게 아니다.) 올바른 노력은 3년 동안 책 450권을 읽고 종이책 150권, 전자책 250권 총 400권 출간으로 자신 분야와 6가지 수입 창출 시스템을 연결하여 결과를 만들어 내는 사람.

책 1,000권을 읽은 사람보다 자신 분야 1권 출간(결과물)한 사람이 결과적으로 인정받는다. 책 1,000권 읽은 결과물을 무엇으로 증명할 것인가? 당연히 책 1,000권을 읽은 사람 중에 인생관이 바뀌어 삶의 질이 달라지고 자신 분야 터닝포인트가 되는 사람도 많다. 하지만 결과물로 인정받는 현실 속에서는 책만 많이 읽는다고 증명 할 수 있는 결과물이 없으면 1,000권, 10,000권을 읽었더라도 인정해주지 않는다.

'나 1,000권 읽었다.' 와 '나는 책 1권 출간해서 이렇게 결과를 만들어 냈다.'는 어마어마한 차이이다.

결과물이 전부가 될 수 없지만 현실에서는 어떤 결과물을 만들어 냈느냐가 전부를 말해주는 경우가 더 많다는 것이다.

당신이라면 어떤 사람을 책 쓰기, 책 출간 전문가라고

할 것인가?
어떤 전문가에게 책 쓰기, 책 출간 교육, 코칭을 받을 것인가?
1. 책 10,000권 읽고 책 12권 출간 한 사람.
2. 책 2,000권 읽고 종이책 150권, 전자책 250권 총 400권 출간 한 사람.
1번 사람과, 2번 사람의 차이가 무엇인지 아는가? 책 쓰기, 책 출간 방법만 알고 있느냐 책 쓰기, 책 출간 기술력을 알고 있느냐 차이라는 것이다.

필자가 방탄book기술력을 보유했기 때문에 400권을 출간할 수 있었다는 것이다.
방법만 배우면 한 번에 결과가 나오지만 기술력을 배우면 21세기 황금알을 낳는 거위라는 무인 자동 시스템을 만들 수 있다.

누구도 말할지 못한 방탄book기술력
어디에서도 보지 못한 방탄book기술력
어떤 책에서도 보지 못한 방탄book기술력
어떤 영상에서도 보지 못한 방탄book기술력
어떤 사람에게도 들을 수 없는 방탄book기술력
대한민국 최초, 세계 최초 출판계의 혁신! 방탄book기술력을 오픈한다.

목차

20,000명 심리 상담, 코칭으로
알게 된 사람들이 바라는 6가지 시스템!

1

커피숍에서 지인과
대화 중에도 돈이
입금되는 시스템?

2

자고 있는데
돈을 버는 시스템?

3

여행 중에도 돈이
입금되는 시스템?

4

사무실, 직원이
필요 없는 시스템?

5

건물주처럼
월세가
입금되는 시스템?

6

집에서 댕댕이와
휴식하고 있는데 돈이
입금되는 시스템?

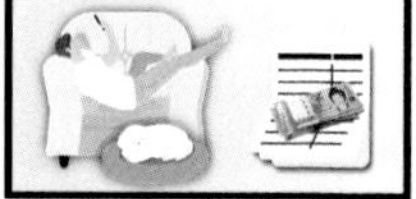

세계 최초! 출판계의 혁신!
돈이 들어오는 6가지 시스템을
가능하게 하는 것이

방탄book기술력!

20,000명 심리 상담, 코칭으로 알게 된 20,000명이 바라는 책 쓰기, 책 출간 교육, 코칭

방탄 book **10가지** 방탄 book

1 한번 출간한 책으로 평생 활용하는 방법을 알려주는 교육, 코칭

2 로또 2등과 같은 기획출판을 하기 위해서 출판기획서 제작 스트레스, 거절 메일을 확인 하는 스트레스, 370가지 스트레스... 등 마음고생 덜 하고 책 출간할 수 있는 책 쓰기 교육, 코칭

3 책 활용 수입 창출 시스템 교육을 검증 된 전문가에게 한 곳에서 시간, 돈 낭비를 줄여주는 책 쓰기 교육, 코칭

4 한번 코칭으로 100년 a/s, 피드백, 관리해 주는 책 쓰기 교육, 코칭

5 책 출간 후 자신 분야 삼성(진정성, 전문성, 신뢰성)을 높여 자신 분야 내공, 가치, 몸값까지 올릴 수 있는 책 쓰기 교육, 코칭

6 출간한 책으로 강사가 되어 은퇴 후 제2의 직업을 할 수 있는 책 쓰기 교육, 코칭

7 책 출간 후 자신 분야 코칭 전문가가 되어 은퇴 후 제3의 직업까지도 할 수 있는 책 쓰기 교육, 코칭

8 책 출간 후 온라인 콘텐츠까지 제작을 해서 비수기 없는 책 쓰기 교육, 코칭

9 책 출간 후 디지털 콘텐츠까지 제작을 해서 월세, 연금성 수입까지 발생시킬 수 있는 책 쓰기 교육, 코칭

10 책 한 권 출간하고 끝나는 것이 아니라 100년 동안 책을 무한대로 출간 할 수 있는 책 쓰기, 책 출간 기술력을 교육, 코칭

책 쓰기, 책 출간 교육, 코칭은 누구나 한다.
6가지 수입 창출 책 쓰기, 책 출간 교육, 코칭은 방탄BOOK 창시자 뿐이다.

20,000명 심리 상담, 코칭으로 알게 된
20,000명이 바라는 책 쓰기, 책 출간 교육, 코칭
방탄 book
10가지
방탄 book
방탄 book
www.방탄book.com
NAVER 방탄book출판사
세계에서 20,000명이 바라는
책 쓰기, 책 출간 교육, 코칭 10가지를
할 수 있는 곳은
방탄book출판사 뿐이다!

PPT로 책 출간

PPT로 100년 수입 창출 책 쓰기, 책 출간

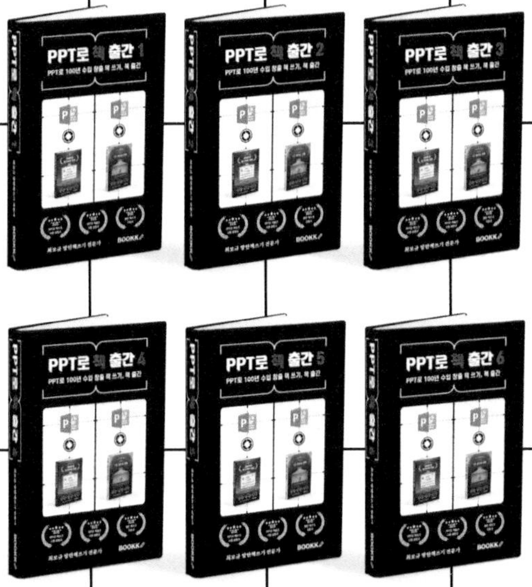

자신 분야 스펙, 내공, 가치, 값어치

카페에서 냅킨에 그린 그림이 1억?

카페에 피카소가 앉아 있었습니다. 한 손님이 다가와 종이 냅킨 위에 그림을 그려 달라고 부탁했습니다. 피카소는 상냥하게 고개를 끄덕이곤 빠르게 스케치를 끝냈습니다. 냅킨을 건네며 1억 원을 요구했습니다.
손님이 깜짝 놀라며 말했습니다. 어떻게 그런 거액을 요구할 수 있나요? 그림을 그리는 데 1분밖에 걸리지 않았잖아요. 이에 피카소가 답했습니다.

아니요. 40년이 걸렸습니다. 냅킨의 그림에는 피카소가 40여 년 동안 쌓아온 노력, 고통, 열정, 명성이 담겨 있었습니다. 피카소는 자신이 평생을 바쳐서 해온 일의 가치를 스스로 낮게 평가하지 않았습니다.

《확신》

ONLY ONE
"80억 분의 1 검증된 전문가"
특허청 등록
최보규 자기계발코칭 창시자
등록 번호: 제 40-2072344 호
최보규 대표
상담, PT, 코칭, 강의, 컨설팅 문의
010-6578-8295
특허청 등록
최보규 리더동기부여 코칭전문가
등록 번호: 제 40-2128786 호
대한민국 강사 섭외 NO1 '강사야'
'강사야' "대표 일타 강사 최보규"
GANGSAYA
강사섭외
최보규
로그인
회원가입
전체분야
강사프로필
섭외문의
분야별특강
커뮤니티
추천강사
섭외문의무료등록
최보규강사
특허청 등록으로 검증된 강사!
방탄 동기부여/리더십/자기계발
동기부여/리더십/자기계발 업데이트!
저서 100권의 내공을 통한 세계 최초 1+4를 주는 가성비 강사!
(강의메세지+즐거움+스토리텔링+실천 사용 설명서 제공)
Google 자기계발아마존
YouTube 방탄자기계발
NAVER 강사야
NAVER 최보규

강의, 코칭, PT = 내공, 가치, 값어치!
최보규 대표
상담, 코칭, 강의, 컨설팅 문의
010-6578-8295
특허청 등록
등록 번호: 제 40-2072344 호 [최보규 자기계발코칭 창시자]
20,000명 심리 상담, 코칭
2,000권 독서
자기계발서 150권, 전자책 250권
강사 15년
7G 직업
(출판사 대표, 작가, 심리 상담사, 코칭 전문가, 강사, 유튜버, 한집의 가장)
45년간 습관 320가지 만듦

강사 15년 / 강의 6,000회를 통해 알게 된 교육 담당자, 학습자가 바라는 강사

Google 자기계발아마존 | YouTube 방탄자기계발 | NAVER 방탄자기계발사관학교 | NAVER 최보규

1. 가성비 강사 (1+4)

강의 시간 속에 즐거움, 메시지, 스토리텔링, 감동, 실천 동기부여를 해주는 강사

2. 스펙, 강사료 값어치를하는 강사

지금까지 들었던 강사와 다른 내공, 가치, 값어치가 다르게 느껴지는 강사

3. 실천할 수 있는 강의 사용 설명서를 주는 강사

강의 때 배운 것들 강의 끝난 후 활용할 수 있는 사용 설명서(도구)를 주는 강사

최보규 강사의 차별화 강의가 아닌 초월 강사

Google 자기계발아마존 | YouTube 방탄자기계발 | NAVER 방탄자기계발사관학교 | NAVER 최보규

1. 가성비 강사가 되기 위해 강사 15년간 2,000권 독서 / 7,000개 메모 / 자기계발서 100권 출간을 통한 메시지, 스토리텔링 강의.

2. 학습자가 봤을 때 "이런 강의는 나도 하겠다."라는 말을 듣지 않고 쓰리 값(나이값, 스펙값, 강사료값)어치를 하기 위해서 강사 11계 명 실천으로 80억 분의 1 검증된 전문가다운 강의를 하는 강사.

3. 교육, 강의가 끝난 후에 생활 속에서 실천 동기부여를 할 수 있는 도구, 사용 설명서(강사 사비 제작)를 통해 변화, 성장할 수 있게 해주는 강사.

20,000명 심리 상담, 코칭을 통해 알게 된
일반인, 강사, 리더, CEO, 은퇴자, 프리랜서가 바라는 코칭 전문가

Google 자기계발아마존 | YouTube 방탄자기계발 | NAVER 방탄자기계발사관학교 | NAVER 최보규

1. 가성비 코칭

변화, 성장, 자신 분야 연결을 통해 제2수입, 제3수입 까지 발생시킬 수 있는 코칭

2. 시간, 돈 낭비를 하지 않는 코칭

검증이 되지 않는 코칭에 속아 시간과 돈 낭비를 줄여서 빠른 수입 창출 코칭

3. 코칭, PT 받은 후 A/S, 피드백, 관리를 해주는 코칭

혼자 스스로 할 수 있을 때까지, 자리 잡을 때까지 멘토가 되어 주는 코칭

최보규 전문가의 차별화 코칭(PT)이 아닌 초월 코칭(PT)

Google 자기계발아마존 | YouTube 방탄자기계발 | NAVER 방탄자기계발사관학교 | NAVER 최보규

1. 가성비 코칭을 해주기 위해서 자신 분야와 6가지 수입 창출하는 방법을 연결시킬 수 있는 기술력을 체계적으로 교육하는 코칭.

2. 특허청 등록: 제 40-2072344 호 [최보규 자기계발코칭 창시자] 매뉴얼, 시스템이 검증된 전문가로서 시간과 돈 낭비를 줄여주는 코칭.

3. 청출어람 사명감으로 150년 A/S, 피드백, 관리를 해준다는 우주 최강 책임감으로 멘토가 되어주는 코칭.

방 탄
동기부여
명품 동기부여
명품 자기계발
책150권 출간
상담 17,000회
코칭 13,000회
강의 경력 6,200회
COACHING
Google 자기계발아마존
YouTube 방탄자기계발
NAVER 방탄자기계발사관학교
NAVER 최보규
최보규
네이버 인물정보 등록 34만 명! (2016년 기준)
대한민국 1% 미만 "네이버 명예의 전당" 인물정보 등록!
전체
프로필
최근활동
도서
프로필
소속 방탄자기계발사관학교/방탄북(BOOK)출판사(대표)
수상 2016년 제1회 세계를 빛낸 천사상 대상
경력 방탄자기계발사관학교/방탄북(BOOK)출판사 대표
방탄자기계발사관학교 대표
2012.05~2016.06 사랑의전화 전화상담 자원봉사자
2014.11 행복사관학교 대표
사이트 유튜브, 블로그, 네이버TV, 페이스북, 공식홈페이지
작품 ★ 도서 108건, 관련활동

★★★★★

자기계발서 150권, 전자책 250권 출간으로 삼성(진정성, 전문성, 신뢰성)이 검증된 전문가

Google 자기계발아마존 | YouTube 방탄자기계발 | NAVER 방탄자기계발사관학교 | NAVER 최보규

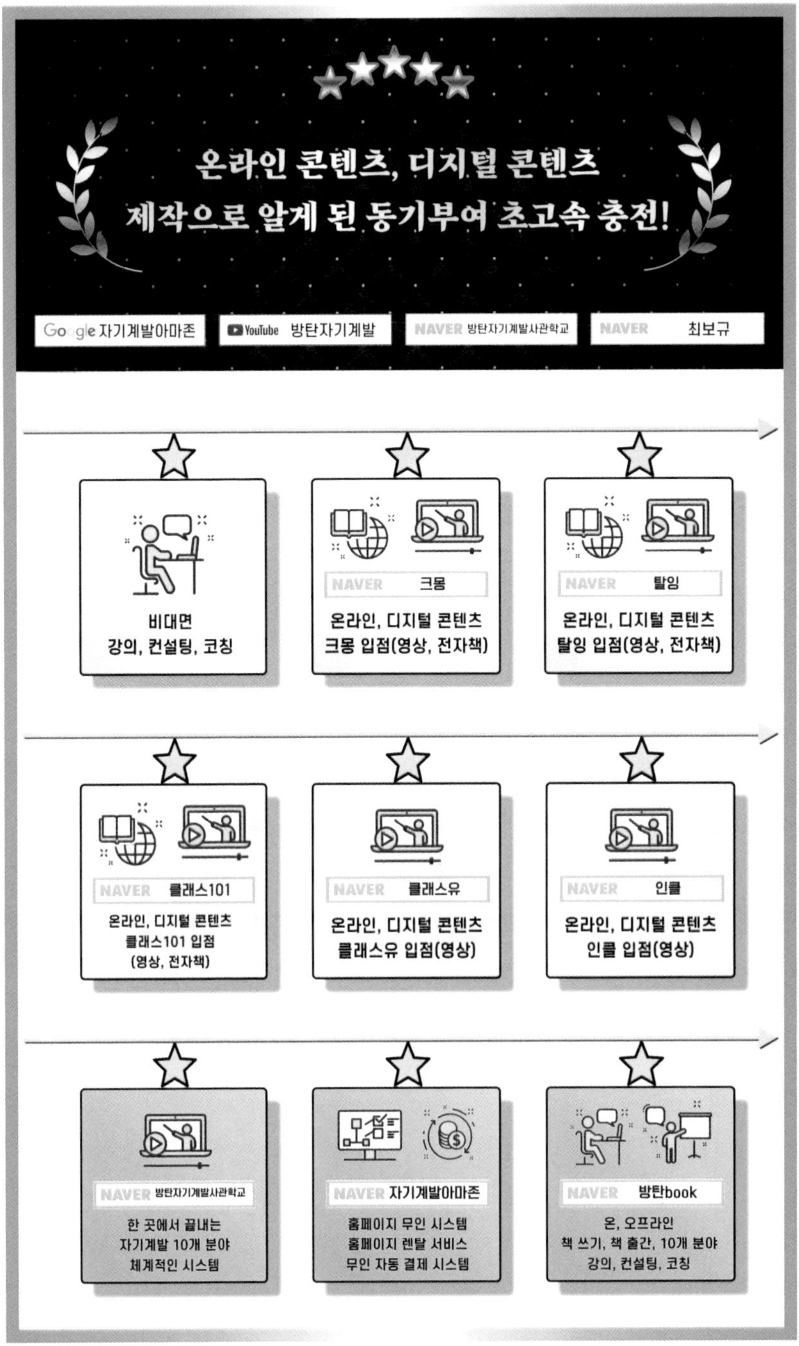
온라인 콘텐츠, 디지털 콘텐츠
제작으로 알게 된 동기부여 초고속 충전!
Google 자기계발아마존
YouTube 방탄자기계발
NAVER 방탄자기계발사관학교
NAVER 최보규
비대면
강의, 컨설팅, 코칭
NAVER 크몽
온라인, 디지털 콘텐츠
크몽 입점(영상, 전자책)
NAVER 탈잉
온라인, 디지털 콘텐츠
탈잉 입점(영상, 전자책)
NAVER 클래스101
온라인, 디지털 콘텐츠
클래스101 입점
(영상, 전자책)
NAVER 클래스유
온라인, 디지털 콘텐츠
클래스유 입점(영상)
NAVER 인클
온라인, 디지털 콘텐츠
인클 입점(영상)
NAVER 방탄자기계발사관학교
한 곳에서 끝내는
자기계발 10개 분야
체계적인 시스템
NAVER 자기계발아마존
홈페이지 무인 시스템
홈페이지 렌탈 서비스
무인 자동 결제 시스템
NAVER 방탄book
온, 오프라인
책 쓰기, 책 출간, 10개 분야
강의, 컨설팅, 코칭

온라인 플렛폼 디지털 플렛폼	온라인, 디지털 콘텐츠 수입 발생 (무인 시스템)	100년 월세, 연금 발생
자기계발아마존 1층 ~ 3층	온라인 건물주 되는 자격증 교육! 온라인 강사코칭전문가2급 온라인 자기계발코칭전문가2급 / 리더십코칭전문가2급 자존감, 멘탈, 습관, 행복, 사랑, 웃음, 강사, 책쓰기, 유튜버, 리더십 10개 분야 코칭 / 영상 / 전자책	자격증, 재교육, 강사섭외 코칭, 종이책 전자책 수입 발생
클래스유 4층	자신 분야 삼성(진정성, 전문성, 신뢰성)을 높여 제2수입, 3수입 올리는 방탄자기계발 재태크 / 영상	영상, 자격증, 강사섭외, 코칭 종이책, 전자책 수입 발생
클래스101 5층 ~ 15층	강사 분야, 사랑 분야, 습관 분야, 자존감 분야 행복 분야, 자기계발 분야 영상 원포인트 클래스 / 전자책	영상, 강사섭외, 코칭 종이책, 전자책 수입 발생
크몽 16층 ~ 22층	강사 분야, 사랑 분야, 습관 분야 자존감 분야, 행복 분야, 자기계발 분야 영상 / 코칭 / 전자책	영상, 자격증, 강사섭외, 코칭 종이책, 전자책 수입 발생
탈잉 23층 ~ 25층	자존감 분야, 습관 분야, 행복 분야 영상 / 전자책	강사섭외, 코칭 종이책, 전자책 수입 발생
인클 26층	4차 산업시대는 4차 자기계발인 방탄자기계발 재테크 / 영상	영상, 자격증, 강사섭외, 코칭 종이책, 전자책 수입 발생
온라인 서점 디지털 서점 27층 ~ 50층	출간 한 39권 자기계발서 종이책 , 전자책	검증된 전문가 강사료 10배 상승

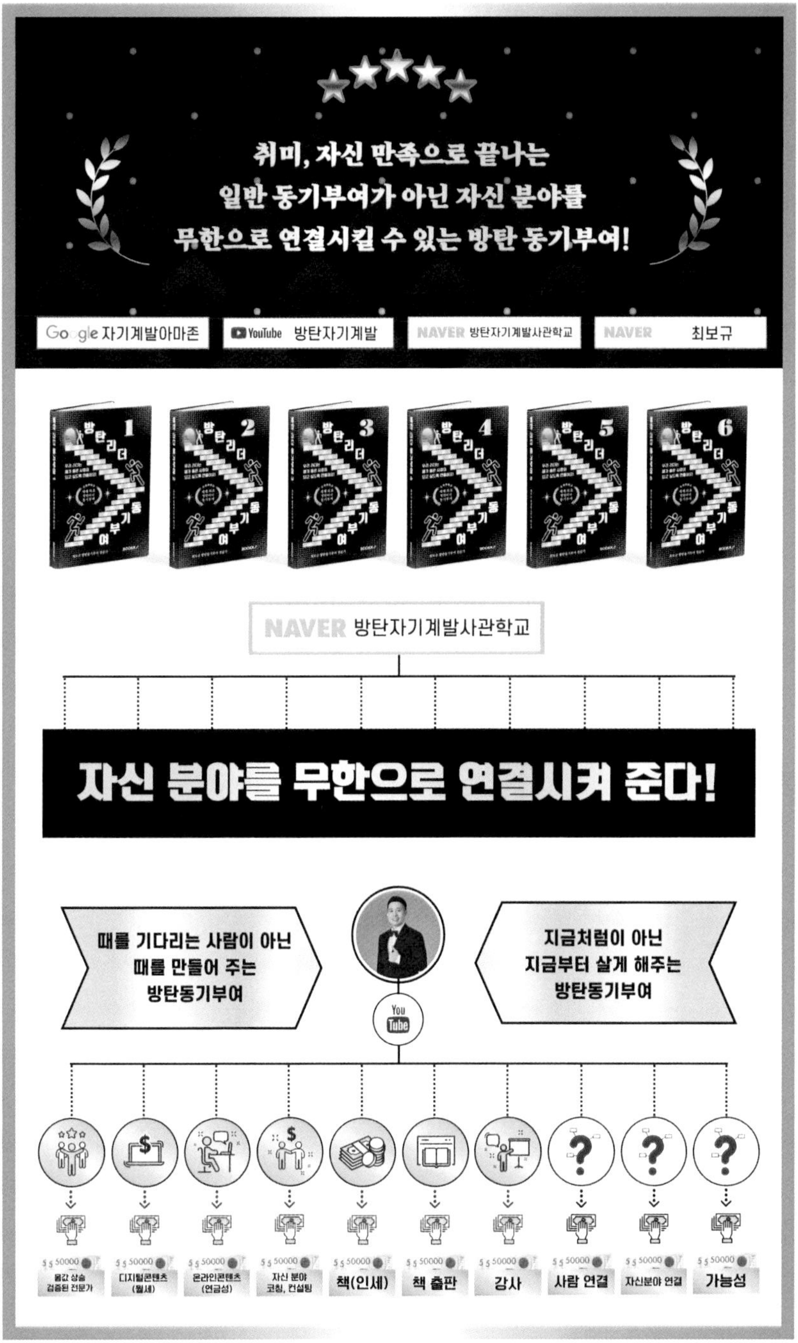
취미, 자신 만족으로 끝나는
일반 동기부여가 아닌 자신 분야를
무한으로 연결시킬 수 있는 방탄 동기부여!
Google 자기계발아마존
YouTube 방탄자기계발
NAVER 방탄자기계발사관학교
NAVER 최보규
NAVER 방탄자기계발사관학교
자신 분야를 무한으로 연결시켜 준다!
때를 기다리는 사람이 아닌
때를 만들어 주는
방탄동기부여
지금처럼이 아닌
지금부터 살게 해주는
방탄동기부여
몸값 상승
검증된 전문가
디지털콘텐츠
(월세)
온라인콘텐츠
(연금성)
자신 분야
코칭, 컨설팅
책(인세)
책 출판
강사
사람 연결
자신분야 연결
가능성

유튜브 5년 하면서 알게 된
동기부여 초고속 충전!
리더는 유튜브가 아닌 나튜브! 1
리더는 유튜브가 아닌 나튜브! 2
리더는 유튜브가 아닌 나튜브! 3
자신 분야를 무한으로 연결시켜 준다!
때를 기다리는 사람이 아닌
때를 만들어 주는
나튜브
지금처럼이 아닌
지금부터 살게 해주는
나튜브
몸값 상승 검증된 전문가
디지털콘텐츠 (월세)
온라인콘텐츠 (연금성)
자신 분야 코칭, 컨설팅
책(인세)
책 출판
강사
사람 연결
자신분야 연결
가능성

대한민국 99%가 책 쓰기, 출간하는 방법만
교육, 코칭 한다!
6가지 수입 창출 책 쓰기, 출간 기술력을
교육, 코칭 하는 곳은 **방탄book뿐이다.**

방법을 알면 1권 출간하고 끝이지만
<u>방탄book기술력을 알면</u>
10권, 100권, 1.000권... 도 가능하다.

ONLY ONE
"80억 분의 1 검증된 전문가"
특허청 등록
최보규 자기계발코칭 창시자
등록 번호: 제 40-2072344 호
최보규 대표
상담, PT, 코칭, 강의, 컨설팅 문의
010-6578-8295
특허청 등록
최보규 리더동기부여 코칭전문가
등록 번호: 제 40-2128786 호
대한민국 강사 섭외 NO1 '강사야'
'강사야' "대표 일타 강사 최보규"
GANGSAYA 강사섭외 최보규
로그인 회원가입
전체분야 강사프로필 섭외문의 분야별특강 커뮤니티 추천강사
섭외문의무료등록
최보규강사
특허청 등록으로 검증된 강사!
방탄 동기부여/리더십/자기계발
동기부여/리더십/자기계발 업데이트!
저서 100권의 내공을 통한 세계 최초 1+4를 주는 가성비 강사!
(강의메세지+즐거움+스토리텔링+실천 사용 설명서 제공)
Google 자기계발아마존
YouTube 방탄자기계발
NAVER 강사야
NAVER 최보규

명품
동기부여
명품
자기계발
최보규 대표
상담, 코칭, 강의, 컨설팅 문의
010-6578-8295
현] 방탄자기계발사관학교 대표
현] 강사야 대표강사
현] 자기계발아마존 CEO
현] 방탄book 출판사 대표
현] 방탄강사사관학교 코칭전문가
현] 사랑의전화 카운슬러
현] 방탄자기계발 유튜버
현] 최보규상(대한민국 노벨상)창시자

방 탄
동기부여

명품 동기부여

명품 자기계발

책150권 출간

상담 17,000회

코칭 13,000회

강의 경력 6,200회

Google 자기계발아마존 | YouTube 방탄자기계발 | NAVER 방탄자기계발사관학교 | NAVER 최보규

N 최보규

네이버 인물정보 등록 34만 명! (2016년 기준)
대한민국 1% 미만 "네이버 명예의 전당" 인물정보 등록!

전체 프로필 최근활동 도서

프로필 →

소속 방탄자기계발사관학교/방탄북(BOOK)출판사(대표)

수상 2016년 제1회 세계를 빛낸 천사상 대상

경력 방탄자기계발사관학교/방탄북(BOOK)출판사 대표
방탄자기계발사관학교 대표
2012.05~2016.06 사랑의전화 전화상담 자원봉사자
2014.11 행복사관학교 대표

사이트 유튜브, 블로그, 네이버TV, 페이스북, 공식홈페이지

작품 ★ 도서 108건, 관련활동

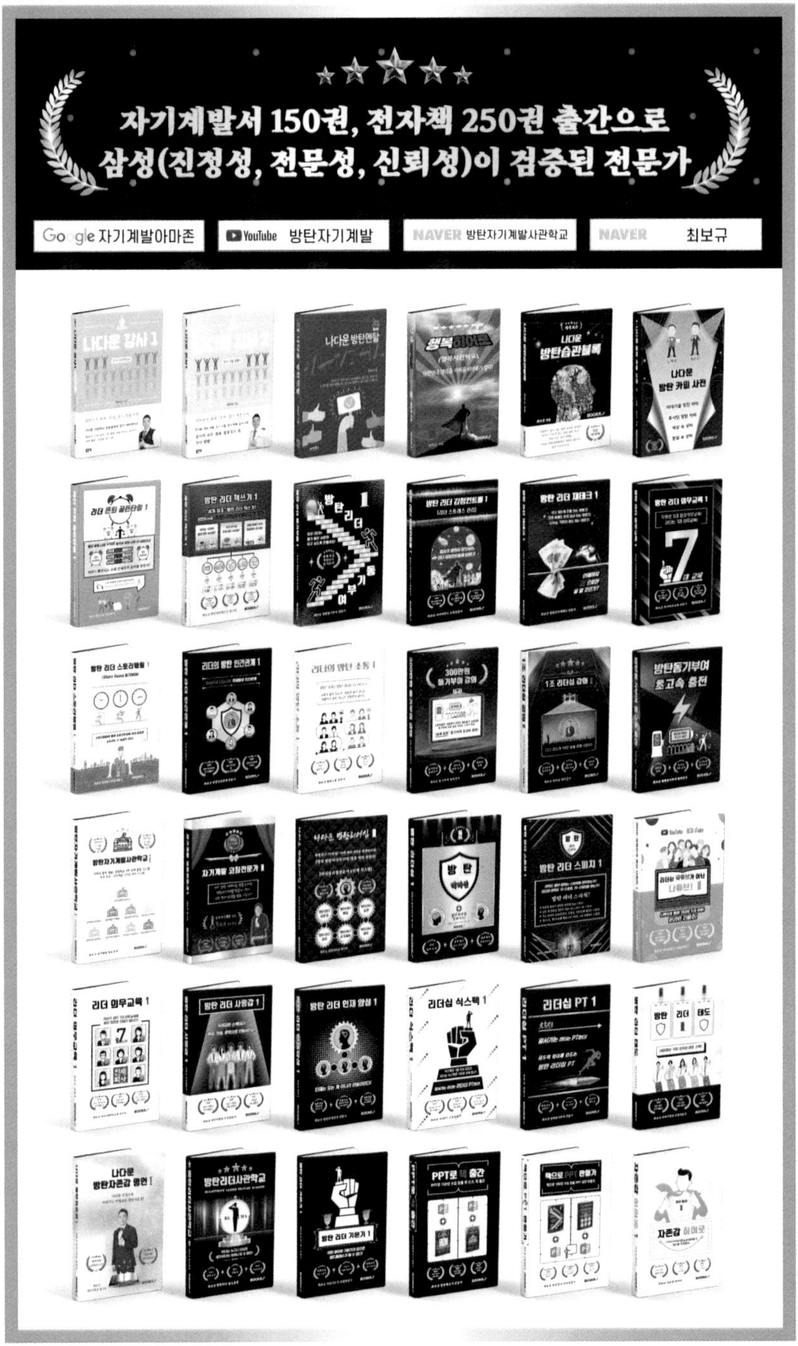
자기계발서 150권, 전자책 250권 출간으로
삼성(진정성, 전문성, 신뢰성)이 검증된 전문가
Google 자기계발아마존
YouTube 방탄자기계발
NAVER 방탄자기계발사관학교
NAVER 최보규

명품 동기부여

교육 실적

명품 자기계발

기업

삼성전자, 현대자동차, 한국전력공사, LG전자, 삼성생명보험, 포스코, GS칼텍스, SK네트웍스, 기아자동차, 현대중공업, 에쓰오일, SK에너지, 한국가스공사, LG디스플레이, GM대우, 교보생명, KT, SK텔레콤, 대한생명, LG화학, 롯데백화점, 신세계백화점, 삼성물산, 삼성화재해상보험, 오일뱅크, 대한항공, 삼성중공업, 현대모비스,하이닉스반도체, 현대제철, 대우조선해양, 한진해운, 대우건설, GS건설, 현대건설, 한국수력원자력, 효성, LG상사,현대상선, 현대해상화재보험, 대림산업, STX팬오션, LIG손해보험, LG텔레콤, 동부화재, 여천NCC, SK건설, 삼성테스코, 삼성SDI, 삼성토탈, 현대하이스코, 한국남부발전, 동국제강, 아시아나항공, 롯데건설, 포스코건설,한화, SK가스, ING생명, 위아,삼성테크윈, 대우차판매, 쌍용자동차, 제일모직, 한국서부발전, 한국동서발전,신한카드, 현대미포조선, 르노삼성자동차, 현대산업개발, GS리테일, 대우증권, 신한지주금융, 삼성전기, 현대삼호중공업, 우리투자증권, 비씨카드, 메리츠화재, 글로비스, 한화석유화학, 삼성카드, 현대증권, 로보트보쉬, 씨티클럽증권, 한독약품, 이마트, 제일기획, 리츠칼튼, 유엔젤, 삼선개발, CJ, 코오롱, 오리온, GS마켓, 종로학원, 김영사, 이토, 코엔텍, 휴스틸, 블루클럽, 한국콘베어, 디시페로 신진화학 등 2000여 대중소기업

SAMSUNG HYUNDAI LG SK KYOBO GS ING posco CJ 금호아시아나

은행

KB국민은행, 우리은행, 신한은행, 산업은행, SC제일은행, 하나은행, 기업은행, 한국외환은행, 한국씨티은행, 농협, 수협, 축협 등

KB 우리은행 수협은행 KEB 외환은행 Standard Chartered NH농협 하나은행

관공서

금융감독원, 검찰청, 국세청, 경찰청, 법무부, 식약청, 보건복지부, 교육청, 서울시, 각 구청, 서울시, 수원시, 인천시, 안동시, 제주시, 안양시, 거제시, 상주시, 민방위교육장, 한국과학기술평가원, 보훈교육연구원, 각 지역 교육연수원, 한국교육개발원, 농업기술센터, 농업기반공사, 국립공원관리공단, 국립특수교육원, 건설교통인재개발원 한국증권업협회 등 200여개 기관

서울특별시 Fly Incheon 국세청 서울특별시교육청 보건복지부 KISTEP 한국과학기술기획평가원

병원

서울대병원, 서울아산병원, 삼성서울병원, 연세대세브란스병원, 가톨릭대 서울성모병원, 아주대병원, 고려대안암병원, 한양대병원, 중앙대병원, 선한목자정형외과, 순천향병원, 보훈병원, 봄빛병원, 이다치과, 소리이비인후과, 영산의료법인 등

SNUH 서울대학교병원 서울아산병원 ASAN Medical Center SAMSUNG 삼성서울병원 세브란스병원 고려대학교안암병원 한양대학교의료원

대학교 특강 (교양, 최고경영자과정, 명사특강)

서울대, 연세대, 고려대, 중앙대, 한양대, 서강대, 포스텍, 카이스트, 경희대, 인하대, 이화여대, 조선대, 안동대, 건국대, 동아대, 충주대, 대전대, 청주대, 대진대, 한국산업기술대, 금오공과대, 아주대, 경기대, 숙명여대, 동국대, 순천대, 전남대, 영남대, 경기대, 경남대, 세종대, 카톨릭대, 경북대, 부경대, 창원대, 목포대, 광주여대, 한국해양대, 세명대, 충남대, 광운대, 울산대, 국민대, 제주대, 서울시립대, 단국대, 군산대, 경성대, 대구대, 동아방송예대, 동의과학대, 백석대, 백석예술대, 폴리텍대, 인천대 등 150여개 대학교

고려대학교 서울대학교 연세대학교 이화여자대학교 DKU 단국대학교 KAIST 서강대학교 Sogang University 경희대학교

명품 동기부여

강의 사진

명품 자기계발

600명 자자자자멘습긍 강의

(자존감, 자신감, 자기관리, 자기계발, 멘탈, 습관, 긍정)

500명 자자자자멘습긍 강의

(자존감, 자신감, 자기관리, 자기계발, 멘탈, 습관, 긍정)

명품 동기부여

명품 자기계발

최보규 방탄강사 창시자

저는 입으로 강의하지 않겠습니다.
제 삶으로 강의하겠습니다.
저는 가르치지 않겠습니다.
제 삶으로 가르치겠습니다.
최보규강사는 명강사, 스타강사가 아닙니다!
그래서 한 달에 15권 책을 보고 메모하며
강의 준비, 솔선수범 하고 있습니다!
최보규강사 보다 강의 잘하는 사람은 많습니다!
다만 최보규강사 만큼 학습자를
사랑하는 강사는 세상에 없을 것입니다!

최보규 방탄동기부여 신조

들어라 하지 말고 듣게 하자.
누구처럼 살지 말고 나답게 살자.
좋아하게 하지 말고 좋아지게 하자.
마음을 얻으려 하지 말고 마음을 열게 하자.
믿으라 말하지 말고 믿을 수 있는 사람이 되자.
좋은 사람을 기다리지 말고 좋은 사람이 되어주자.
보여주는(인기) 인생을 사는 것이 아닌
보여지는(인정) 인생을 살아가자.
나 이런 사람이야 말하지 않아도
이런 사람이구나 몸, 머리, 마음으로 느끼게 하자.

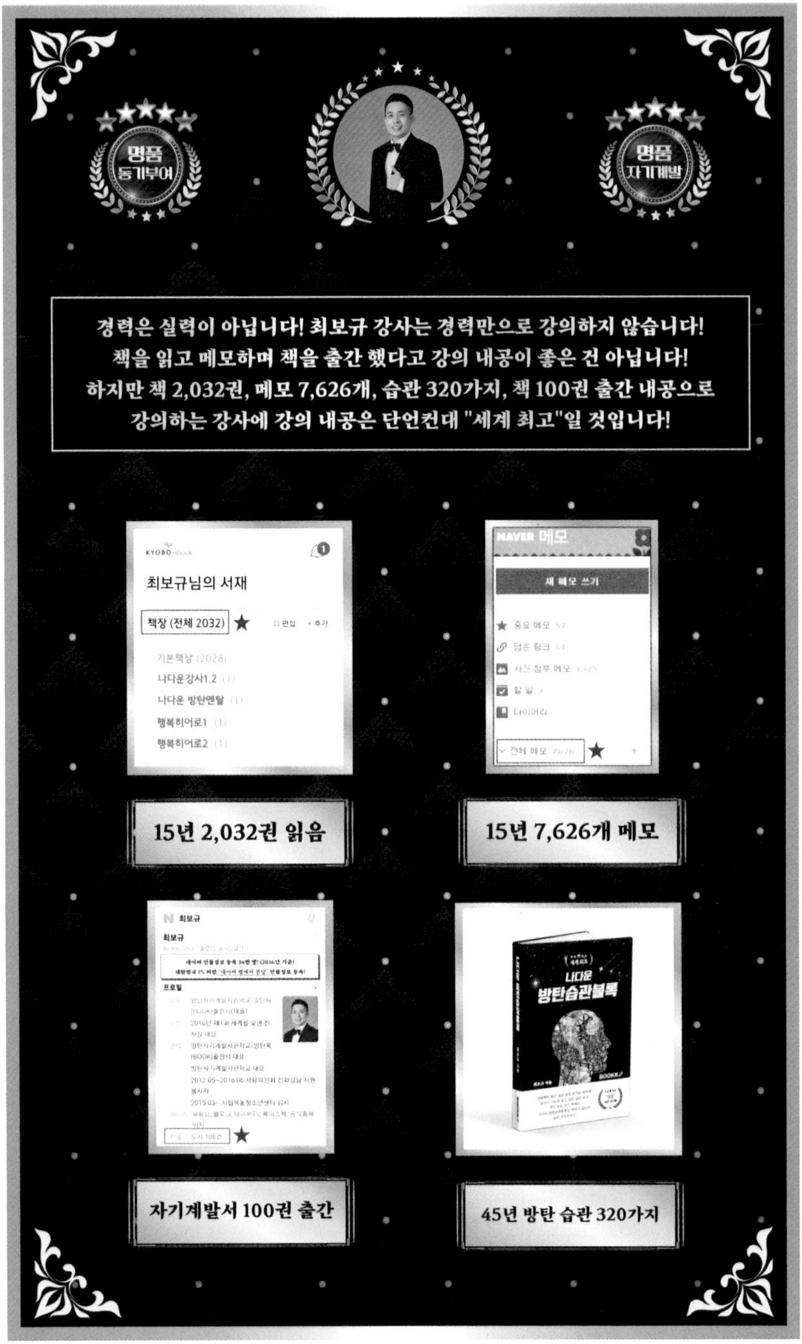
명품 동기부여
명품 자기계발
경력은 실력이 아닙니다! 최보규 강사는 경력만으로 강의하지 않습니다!
책을 읽고 메모하며 책을 출간 했다고 강의 내공이 좋은 건 아닙니다!
하지만 책 2,032권, 메모 7,626개, 습관 320가지, 책 100권 출간 내공으로
강의하는 강사에 강의 내공은 단언컨대 "세계 최고"일 것입니다!
최보규님의 서재
책장 (전체 2032)
기본책장 (2028)
나다운강사1.2 (1)
나다운 방탄멘탈 (1)
행복히어로1 (1)
행복히어로2 (1)
NAVER 메모
새 메모 쓰기
15년 2,032권 읽음
15년 7,626개 메모
최보규
나다운 방탄습관블록
자기계발서 100권 출간
45년 방탄 습관 320가지

최보규 강사 11계명

1. 학습자에게 섬김을 받으려는 강의가 아닌 학습자를 섬길 수 있는 강의를 하겠습니다.
2. 오늘이 마지막 날인 것처럼 강의하고 영원히 살 것처럼 학습자에게 배우겠습니다.
3. 강의 있는 전날에는 최상의 컨디션을 유지 하기 위해 건강관리, 목 관리, 자기관리 하겠습니다.
4. 강의장 1시간 전에 도착해서 강의 마음가짐 준비하겠습니다.
5. 강의장 가장 먼저 도착 강의 끝난 후 가장 늦게 나오겠습니다.
6. 내 삶이 강의고 강의가 내 삶이 되도록 행동하겠습니다.
7. 힘들게 배운 강의 노하우들 아낌없이 주겠습니다.
8. 어떻게 하면 학습자에게 즐거움? 행복? 메시지? 감동? 희망? 사랑?을 줄 것인가에 항상 생각하며 공부하겠습니다.
9. TV보다 책을 더 보겠습니다. 10. 공인이라는 마음으로 솔선수범하겠습니다.
11. 강사의 자존심 아침에 나올 때 신발장에 넣고 나오겠습니다.

방탄강사 백신

진실한 강사

★ 잘난 강사가 되지 않고 진실한 강사가 되겠습니다!
잘난 강사는 피하고 싶어지지만 진실한 강사는
곁에 두고 싶어집니다!

좋은 강사

★ 대단한 강사가 되지 않고 좋은 강사가 되겠습니다!
대단한 강사는 부담을 주지만 좋은 강사는
행복을 줍니다

따뜻한 강사

★ 멋진 강사가 되지 않고 따뜻한 강사가 되겠습니다!
멋진 강사는 눈을 즐겁게 하지만 따뜻한 강사는
마음을 데워 줍니다.

필요한 강사

★ 유명한 강사가 되지 않고 필요한 강사가 되겠습니다!
유명한 강사는 환상을 주지만 필요한 강사는
배움, 성장, 지혜를 줍니다.

최보규 방탄동기부여 전문가
검증된 PT, 강의, 맞춤 코칭, 컨설팅
특허청 등록
최보규 자기계발코칭 창시자
등록 번호: 제 40-2072344 호
최보규 대표
010-6578-8295
특허청 등록
최보규 리더동기부여 코칭전문가
등록 번호: 제 40-2128786 호
방탄자기계발사관학교는 국가등록 민간자격증 발급 기관! 명품 인재 양성 기관!
리더십코칭전문가
동기부여코칭전문가
자기계발코칭전문가
강사코칭전문가
책쓰기코칭전문가
리더 분야
동기부여 분야
자기계발 분야
강의, 강사 분야
책쓰기, 책출간 분야
<저자 최보규>
<저자 최보규>
<저자 최보규>
<저자 최보규>
<저자 최보규>
방탄 리더십
리더 7대의무교육
리더 품위유지의무
리더 은퇴, 재테크
리더 동기부여
리더 스피치
리더 사명감, 인성
리더 기본기, 태도
리더 자존감, 멘탈
리더 습관, 행복
리더 인간관계
인재 양성 매뉴얼
리더 감정컨트롤
리더 스트레스관리
리더 라포형성기법
리더 상담기법
리더 코칭기법
리더 스토리텔링
7대 동기부여
변화,성장동기부여
비전 동기부여
열정 동기부여
사원 동기부여
임원진 동기부여
직급별 동기부여
사랑 동기부여
자존감 동기부여
자신감 동기부여
자기관리 동기부여
자기계발 동기부여
멘탈 동기부여
습관 동기부여
긍정 동기부여
인간관계 동기부여
인재양성 동기부여
행복 동기부여
7대 자기계발
변화,성장자기계발
비전 자기계발
열정 자기계발
사원 자기계발
임원진 자기계발
직급별 자기계발
사랑 자기계발
자존감 자기계발
자신감 자기계발
자기관리 자기계발
자기계발 자기계발
멘탈 자기계발
습관 자기계발
긍정 자기계발
인간관계 자기계발
인재양성 자기계발
행복 자기계발
강사 7대 의무교육
강사 인성, 매너
강사 품위유지의무
강사1~3년 차
강사료 올리기 위한 준비, 스펙 쌓기.
강사4~10년 차
강사료 올리기 의한 준비, 스펙 쌓기.
강사10~20년 차
강사료 올리기 위한 준비, 스펙 쌓기.
강사 스킬UP
강사 트레이닝
강의 스토리텔링 기법
강의 SPOT 기법
강사 양성 매뉴얼
강사 양성 시스템
책 쓰기 동기부여
책 출간 동기부여
작가 품위유지의무
책 쓰기, 책 출간 10G 매뉴얼, 시스템.
100권 출간으로 월세, 연금성 수입 창출전수.
강의 교안으로 책 쓰고 책 출간.
출간한 책으로 강의 교안 작업.
출간한 책으로 온라인, 디지털 콘텐츠 제작.
6가지 수입을 창출 하는 책 쓰기, 책 출간.
100년 지속 할 수 있는 기술력을 배우는 책 쓰기, 책 출간.
Google 자기계발아마존
YouTube 방탄자기계발
NAVER 방탄자기계발사관학교
NAVER 최보규

해보자! 해보자!
자신 가능성을 믿고!
해보자!
해보자!
자신의
사과 씨, 도토리, 포도 씨 믿으세요!
사과 씨 안에 얼마나 많은 사과가 있는지 모른다!
도토리 안에 얼마나 많은 도토리가 있는지 모른다!
포도 씨 안에 얼마나 많은 포도가 있는지 모른다!

명품 자기계발
방탄 동기부여
명품 동기부여
방탄동기부여 전문가
www.방탄자기계발사관학교.com
방탄리더 1 동기부여
최보규 대표
상담, 코칭, 강의, 컨설팅 문의
010-6578-8295
어제의 나는 잊어라!
살아온 날로 살아갈 날단정 짓지 말자!
자신을 못 믿겠다면 자신을 믿어주는
최보규 방탄동기부여 전문가를 믿고 시작합시다!
세상, 현실아 덤벼라!
몸, 머리, 마음을
강하게 해드립니다.!
Google 자기계발아마존
YouTube 방탄자기계발
NAVER 방탄동기부여
NAVER 최보규

명품 동기부여
명품 자기계발
최보규 대표
상담, 코칭, 강의, 컨설팅 문의
010-6578-8295
살아온 날로 살아갈 날·단정 짓지 말자!
해보자! 해보자! 지금부터 해보자!
NAVER 최보규
NAVER 방탄자기계발사관학교
YouTube 방탄자기계발
Google 자기계발아마존
방탄 동기부여
자기계발, 미래 걱정과 고민은 이제 그만 하세요!
시간과 돈 낭비하지 마시고 검증된 곳에서 학습, 연습, 훈련!
150년 a/s, 피드백, 관리, 케어 받으세요!
최보규 대표
010.6578.8295
코칭, PT, 강사, 컨설팅
nice5889@naver.com

PPT로 책 출간 2

PPT로 100년 수입 창출 책 쓰기, 책 출간

4장. 출판사 등록 매뉴얼
(책 표지 디자인)

마우(마우스만 움직일 줄 아는 우주 초보)인 사람이 책과 연관된(종이책 표지, 종이책 3D 표지, 종이책날개 표지, 전자책 표지, 책에 들어갈 이미지 디자인, 책 출간 후 유튜브 홍보 영상 디자인, SNS 프로필 디자인... 등) 디자인을 할 수 있는 기술력을 배울 수 있다라면? 당신은 배울 것인가? 다음 생에 배울 것인가?

대한민국 99%가 책 쓰기, 출간하는 방법만 교육, 코칭 한다!
6가지 수입 창출 책 쓰기, 출간 기술력을 교육, 코칭 하는 곳은 방탄book뿐이다.

방법만 배우면 돈이 계속 나가지만
<u>방탄book기술력</u>을 배우면
돈은 계속 들어온다.

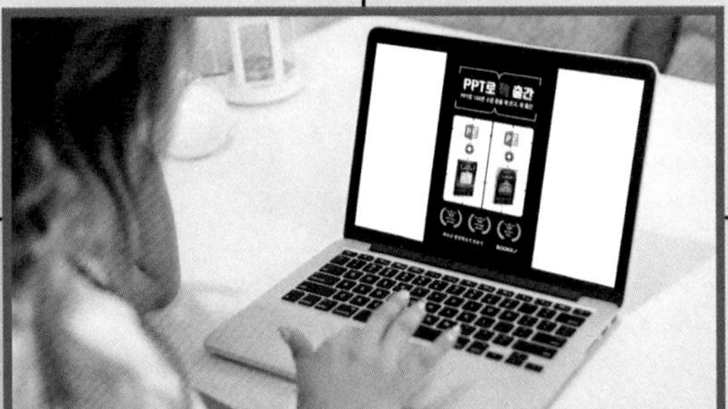

▶ 표지 만드는 기술력.

1권 쓰고 말 거라면 책 표지를 돈을 주고 만들면 된다. 하지만 책을 꾸준히 출간할 거라면 표지 디자인하는 기술력을 배워 시간, 돈을 아껴야 한다. 책 표지를 언제까지 돈 주고 만들 것인가? 책 표지 만드는 기술력을 배우면 100년 수입 창출을 할 수 있다. 종이책 표지 디자인을 제작하면 전자책(PDF)은 자연스럽게 만들 수 있게 된다. 한마디로 종이책 1권을 출간하면 온라인에 1층을 가지고 있는 건물주가 되는 것이다. 필자는 종이책 150권, 전자책 250권 총 400권 출간했다. 한마디로 400층의 온라인 건물주라는 것이다. 월세, 연금성 수입이 얼마 정도 발생할 거 같은가? 앞에서도 언급을 했던 내용을 참고하자.

2024년 대한민국 현실은 5명 중 1명이 사기꾼이고 3혹[유혹, 현혹, 화혹(화려함에 혹하다)]에 빠져 3명 중 1명중 한명이 사기 당한다. 대검찰청에 따르면 연간 136만 건 범죄 중 가장 많이 발생하는 범죄가 1위는 사기다. 수입 인증, 통장 인증하는 사람들 90%는 "믿음을 줘야 크게 한탕을 칠 수 있다."라는 심리가 있다. 수입 인증, 통장 인증하는 사람들이 다 사기꾼은 아니다. 하지만 단언컨대 사기꾼들은 수입 인증, 통장 인증을 한다는 것을 명심하자!

이번 생에 힘든 갓물주 위에 건물주는 힘들어도 온라인 건물주는 가능하다는 것이다. 최보규 방탄book 코칭 전문가의 PPT 디자인 수준인 마우(마우스만 움직일 줄 아는 우주 초보)에서 150권 표지를 만들 수 있었던 스토리텔링 시작한다. 지금부터 상상을 초월하는 기술력을 오픈하기에 스마트폰 부유으로 해놓고 보길 바란다.

한 분야 전문가라면 이제는 자신 분야를 홍보하기 위한 디자인 스펙은 기본으로 해야 한다. PPT를 할 줄 아는 사람이라면 필수이다. 필자의 본업은 강사다. 15년 전 강사 직업을 시작으로 7G 직업(출판사 대표, 작가, 심리상담사, 코칭 전문가, 강사, 유튜버, 한집의 가장)을 하고 있다.

강사 1년 차 PPT 디자인 수준이 상 → 중 → 하 → 마우(마우스만 움직일 줄 아는 우주 초보)에서 마우였다. 그런데 15년 전 PPT 디자인 수준이 마우였던 필자가 15년이 지난 지금도 PPT디자인 수준이 마우인 사람이 책과 연관된(종이책 표지, 종이책 3D 표지, 종이책날개 표지, 전자책 표지, 책에 들어갈 이미지 디자인, 책 출간 후 유튜브 홍보 영상 디자인, SNS 프로필 디자인... 등) 디자인 수준을 어떻게 끌어 올렸는지 150권 표지 디자인한 것을 보고 냉정하게 판단해보길 바란다. 디자인을 보면 디자인 실력, 내공, 가치가 나온다.

#. 150권 표지 디자인 중에 1%만 공개하고 종이책 표지, 날개 표지 작업 노하우, PPT에서 책 표지, 날개 표지 만드는 노하우까지 공개한다. PPT 디자인 수준이 마우(마우스만 움직일 줄 아는 우주 초보)인 사람도 가능하다는 것을 필자가 증명해 보이겠다.

종이책 표지 디자인

Google 자기계발아마존

YouTube 방탄자기계발

NAVER 행복히어로

NAVER 최보규

종이책 표지 디자인

Google 자기계발아마존

YouTube 방탄자기계발

NAVER 방탄자존감명언

NAVER 최보규

종이책 표지 디자인

Google 자기계발아마존

YouTube 방탄자기계발

NAVER 방탄자존감명언

NAVER 최보규

종이책 표지 디자인

Google 자기계발아마존

YouTube 방탄자기계발

NAVER 나다운강사1

NAVER 최보규

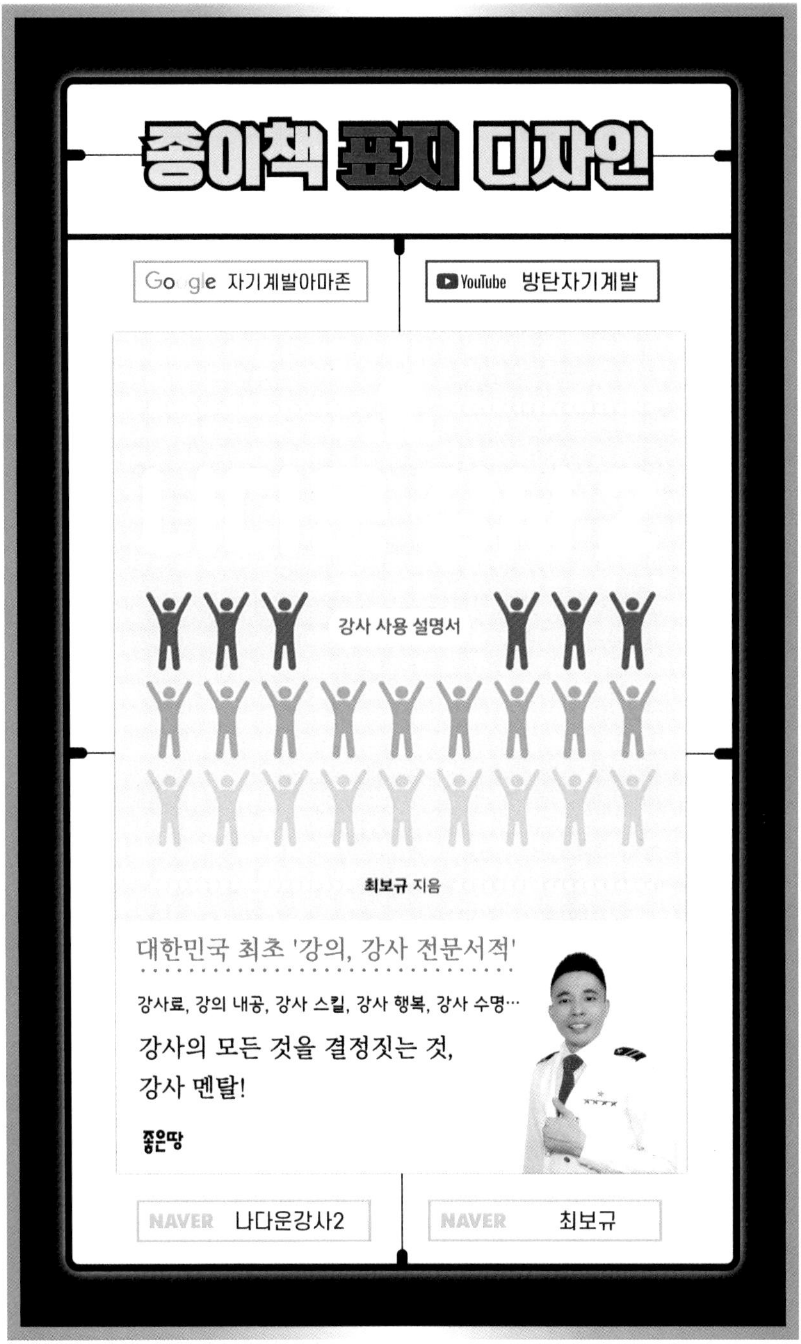
종이책 표지 디자인
Google 자기계발아마존
YouTube 방탄자기계발
강사 사용 설명서
최보규 지음
대한민국 최초 '강의, 강사 전문서적'
강사료, 강의 내공, 강사 스킬, 강사 행복, 강사 수명…
강사의 모든 것을 결정짓는 것,
강사 멘탈!
좋은땅
NAVER 나다운강사2
NAVER 최보규

종이책 표지 디자인
Google 자기계발아마존
YouTube 방탄자기계발
노재광
최보규
나다운
방탄 카피 사전
마데카솔 방탄 카피
후시딘 방탄 카피
세상 속 상처
현실 속 상처
"최초"
상처 치료
자기계발서
BOOKK
NAVER 나다운방탄카피
NAVER 최보규

종이책 표지 디자인
Google 자기계발아마존
YouTube 방탄자기계발
명품 자기계발
자기계발 코칭전문가 1
4차 산업 시대에는 명품 인재인
방탄자기계발 전문가 1명이
10만 명의 인생을 변화 시킨다!
방탄자기계발 전문가
최보규 참모총장
방탄 자기계발 창시자
자기계발 7관왕
명품코칭 전문가
BOOKK
NAVER 자기계발코칭전문가
NAVER 최보규

종이책 표지 디자인

Google 자기계발아마존

YouTube 방탄자기계발

NAVER 나다운방탄리더십

NAVER 최보규

종이책 표지 디자인

Google 자기계발아마존

YouTube 방탄자기계발

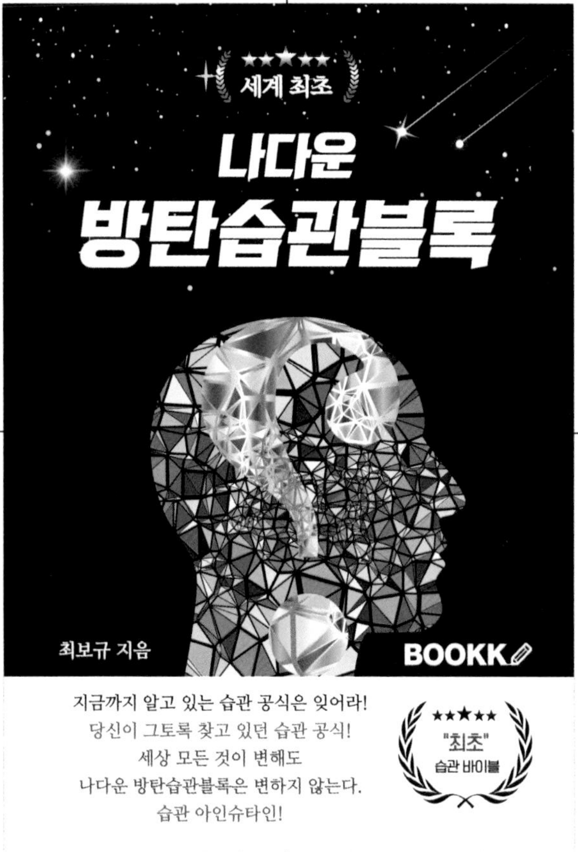

NAVER 방탄습관블록

NAVER 최보규

종이책 표지 디자인
Google 자기계발아마존
YouTube 방탄자기계발
1
방 탄
리더십
방탄리더십
업데이트!
최보규 방탄리더십 창시자
BOOKK
리더
필독 도서
세계 최초
리더 지침서
세계 최초
방탄리더십
NAVER 방탄리더십
NAVER 최보규

종이책 표지 디자인
Google 자기계발아마존
YouTube 방탄자기계발
방 탄
리더
스피치
방탄 리더 스피치 1
아직도 말만 잘하는 스피치에 집착하는가?
리더여 아직도 1D 스피치, 2D 스피치를 하는가?
방탄 리더 스피치?
★ 따르라 말하지 않아도 따르게 하는 스피치!
★ 모든 게 변해도 변하지 않는 3D 스피치, 4D 스피치!
★ 자신 분야의 삼성(진정성, 전문성, 신뢰성)을 올리는 스피치!
★ 제2수입, 제3수입을 발생시켜 100년 수입 창출하는 스피치!
최보규 방탄리더스피치전문가
BOOKK
NAVER 방탄리더스피치
NAVER 최보규

종이책 표지 디자인
Google 자기계발아마존
YouTube 방탄자기계발
YouTube ITube
리더는 유튜브가 아닌
나튜브! 1
나튜브로 월세, 연금성 수입 창출!
온라인 건물주!
"최초"
리더 유튜브
자기계발서
"최초"
나튜브
자기계발서
"최초"
리더 유튜브
사용 설명서
최보규 리더유튜브 코칭전문가
BOOKK
NAVER 나튜브
NAVER 최보규

종이책 표지 디자인

Google 자기계발아마존

YouTube 방탄자기계발

NAVER 방탄리더재테크

NAVER 최보규

종이책 표지 디자인
Google 자기계발아마존
YouTube 방탄자기계발
방탄 리더 책쓰기 1
"세계 최초" 방탄 리더 책쓰기!
방탄book: 6가지 수입 자동 시스템 책 출간!
사무실, 직원이 필요 없는 시스템?
자고 있는데 돈을 버는 시스템?
여행 중에도 돈이 입금되는 시스템?
인세
은퇴, 노후 준비
강의, 코칭
온라인 콘텐츠 월세 수입
디지털 콘텐츠 연금성 수입
"최초" 6가지 수입 창출 책 쓰기, 출간
"최초" 리더 책 쓰기 자기계발서
"최초" 리더 책 출간 사용설명서
최보규 방탄리더책쓰기 창시자
BOOKK
NAVER 방탄리더책쓰기
NAVER 최보규

종이책 표지 디자인
Google 자기계발아마존
YouTube 방탄자기계발
방탄리더
1
우리 리더는
제가 좋은 사람이
되고 싶도록 만들어요!
세계 최초
방탄리더
동기부여
동기부여
최보규 방탄동기부여 전문가
BOOKK
NAVER 방탄리더동기부여
NAVER 최보규

종이책 표지 디자인
Google 자기계발아마존
YouTube 방탄자기계발
리더 의무교육 1
리더가 리더 7대 의무교육을
받지 않으면 인재가 떠난다!
7
대 교육
인재 퇴사
"최초"
리더 의무교육
자기계발서
"최초"
방탄 리더
자기계발서
"최초"
리더 의무교육
사용 설명서
최보규 리더7대의무교육 창시자
BOOKK
NAVER 리더의무교육1
NAVER 최보규

종이책 표지 디자인

Google 자기계발아마존

YouTube 방탄자기계발

NAVER 방탄리더감정컨트롤

NAVER 최보규

종이책 표지 디자인
Google 자기계발아마존
YouTube 방탄자기계발
방탄 리더 의무교육 1
직원은 5대 법정의무교육!
리더는 7대 의무교육!
7대 교육
"최초" 리더 의무교육 자기계발서
"최초" 방탄 리더 자기계발서
"최초" 리더 의무교육 사용 설명서
최보규 리더의무교육 전문가
BOOKK
NAVER 방탄리더의무교육
NAVER 최보규

종이책 표지 디자인
Google 자기계발아마존
YouTube 방탄자기계발
방탄 리더 사명감 1
세상에
사명감 없는 사람은 없다!
다만 사명감 만드는 방법을 모를 뿐이다!
"최초" 리더 사명감 자기계발서
"최초" 리더 사명감 사용 설명서
"최초" 사명감 사용 설명서
최보규 리더사명감 코칭전문가
BOOKK
NAVER 방탄리더사명감
NAVER 최보규

종이책 표지 디자인
Google 자기계발아마존
YouTube 방탄자기계발
best
best
방탄 리더 기본기 1
어떤 분야든 기본기가 없으면
월드클래스가 될 수 없다!
세계 최초 리더 기본기
기본기 사용 설명서
세계 최초 기본기 매뉴얼
최보규 리더기본기 코칭전문가
BOOKK
NAVER 방탄리더기본기
NAVER 최보규

종이책 표지 디자인
Google 자기계발아마존
YouTube 방탄자기계발
방탄 리더 인재 양성 1
인재는 오는 게 아니라 만들어진다!
세계 최초 방탄인재 동기부여
세계 최초 방탄인재양성 사용 설명서
세계 최초 방탄인재 자기계발서
최보규 방탄인재양성 전문가
BOOKK
NAVER 방탄리더인재양성
NAVER 최보규

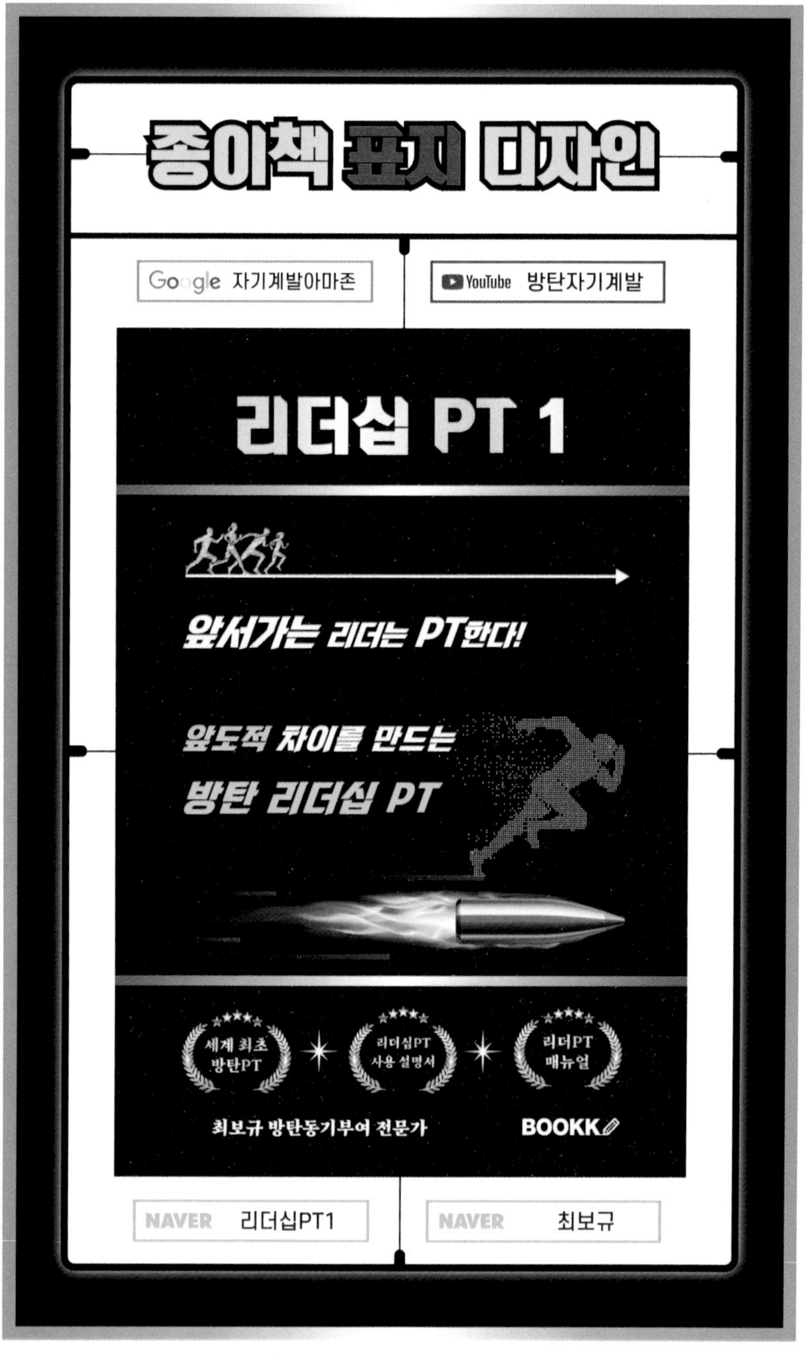

종이책 표지 디자인
Google 자기계발아마존
YouTube 방탄자기계발
리더십 PT 1
앞서가는 리더는 PT한다!
압도적 차이를 만드는
방탄 리더십 PT
세계 최초 방탄PT
리더십PT 사용 설명서
리더PT 매뉴얼
최보규 방탄동기부여 전문가
BOOKK
NAVER 리더십PT1
NAVER 최보규

종이책 표지 디자인
Google 자기계발아마존
YouTube 방탄자기계발
리더십 식스펙 1
식스펙은 1달 지속 되지만
리더십 식스펙은 100년 지속 된다!
앞서가는 리더는 리더십 PT한다!
"최초" 리더십 식스펙 자기계발서
"최초" 리더십 PT 사용 설명서
"최초" 리더십 식스펙 사용 설명서
최보규 리더PT 코칭전문가
BOOKK
NAVER 리더십식스펙1
NAVER 최보규

종이책 표지 디자인
Google 자기계발아마존
YouTube 방탄자기계발
방탄 리더 스토리텔링
(Story Doing 동기부여)
스토리텔링을 통해 스토리두잉을 하지 않으면
스토리는 다 쓰레기 된다!
최보규 방탄동기부여 전문가
BOOKK
NAVER 방탄리더스토리텔링
NAVER 최보규

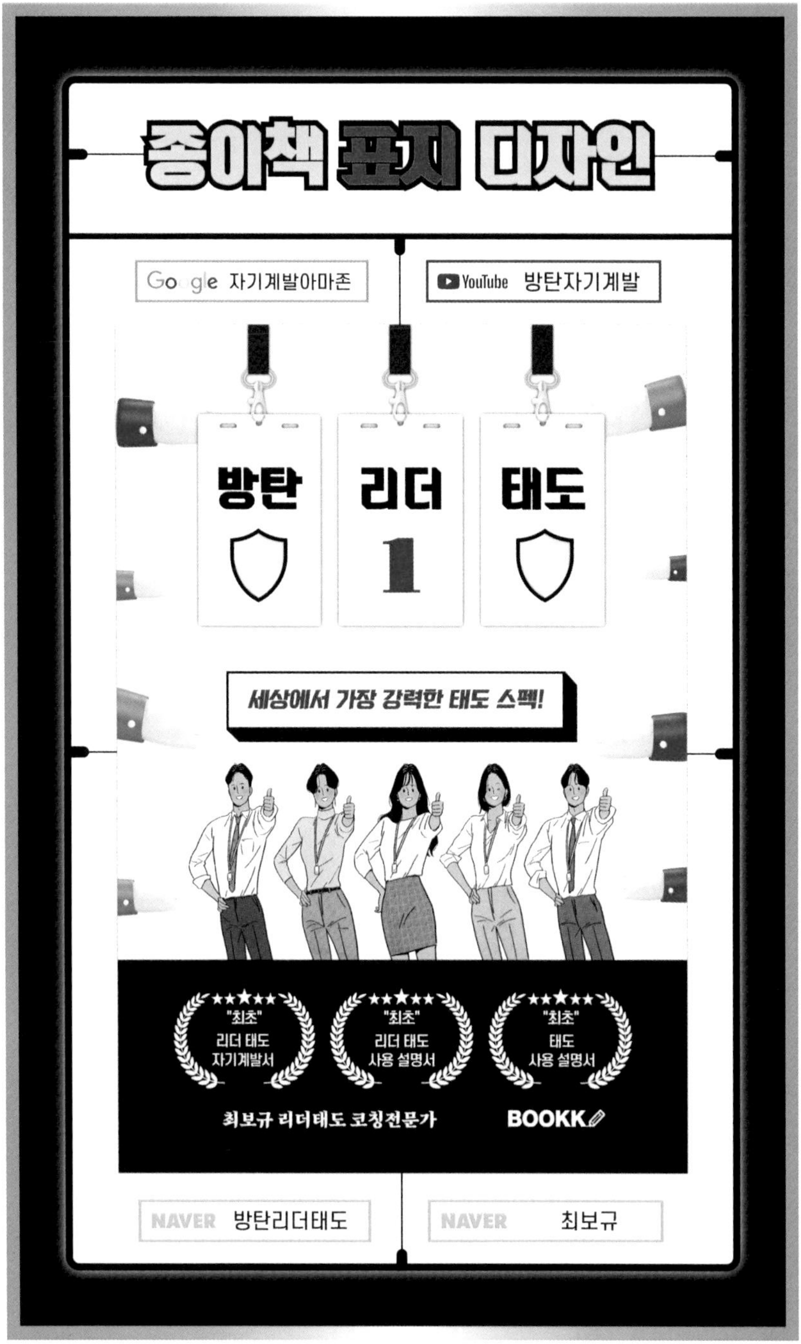
종이책 표지 디자인
Google 자기계발아마존
YouTube 방탄자기계발
방탄 리더 태도
1
세상에서 가장 강력한 태도 스펙!
"최초" 리더 태도 자기계발서
"최초" 리더 태도 사용 설명서
"최초" 태도 사용 설명서
최보규 리더태도 코칭전문가
BOOKK
NAVER 방탄리더태도
NAVER 최보규

종이책 표지 디자인
Google 자기계발아마존
YouTube 방탄자기계발
리더의 방탄 인간관계 1
천재지변 인간관계! 천재일우 인간관계
CLASS 1
CLASS 2
CLASS 3
CLASS 4
CLASS 5
CLASS 6
CLASS 7
"최초" 방탄 인간관계 자기계발서
"최초" 방탄 인간관계 사용 설명서
"최초" 방탄 인간관계 지침서
최보규 방탄인간관계 전문가
BOOKK
NAVER 리더의방탄인간관계
NAVER 최보규

종이책 표지 디자인

Google 자기계발아마존

YouTube 방탄자기계발

NAVER 방탄자기계발사간학교

NAVER 최보규

종이책 표지 디자인
Google 자기계발아마존
YouTube 방탄자기계발
리더의 방탄 소통 1
방탄 소통! 방탄 공감! CLASS 7
소통에 답이 있는가? 정답은 답이 아니다.
해결책도 답이 아니다. 공감만이 답이다.
리더 필독 도서
"최초" 방탄 리더 소통 사용 설명서
"최초" 방탄 리더 소통 지침서
최보규 방탄리더소통 전문가
BOOKK
NAVER 리더의방탄소통
NAVER 최보규

종이책 표지 디자인
Google 자기계발아마존
YouTube 방탄자기계발
1조 리더십 강의 1
□□ 리더가 10만 명을 변화 시킨다!
리더 일타강사
강사야 대표 강사
특허청 등록
최보규 리더십 일타강사
BOOKK
NAVER 1조리더십강의
NAVER 최보규

종이책 표지 디자인
Google 자기계발아마존
YouTube 방탄자기계발
300만원
동기부여 강의
동기부여
UP
스마트폰은 사용하지 않아도 배터리가 소모되듯
동기부여 또한 숨만 쉬어도 소모가 된다.
"세계 최초" 동기부여 초고속 충전!
동기부여 일타강사
강사야 대표 강사
특허청 등록
최보규 동기부여 일타강사
BOOKK
NAVER 300만원동기부여강의
NAVER 최보규

종이책 표지 디자인
Google 자기계발아마존
YouTube 방탄자기계발
HERO
1
자존감 히어로
7가지(자자자자멘습긍)히어로가
당신을 지켜준다!
★★★★★
자존감 분야
필독 도서
★★★★★
"최초"
자존감
사용 설명서
★★★★★
"최초"
자존감
초고속 충전
최보규 자존감 전문가
BOOKK
NAVER 자존감히어로
NAVER 최보규

종이책 표지 디자인
Google 자기계발아마존
YouTube 방탄자기계발
PPT로 책 출간 1
출판계의 혁신! 6가지 시스템 수익 창출 책 출간!
300만원 동기부여 강의
1조 리더십 강의
"최초" PPT로 책쓰기 사용 설명서
"최초" PPT로 책출간 사용 설명서
"최초" 방탄 책쓰기 지침서
최보규 방탄BOOK 창시자
서윤희 방탄BOOK 전문가
BOOKK
NAVER PPT로책출간
NAVER 최보규

종이책 표지 디자인
Google 자기계발아마존
YouTube 방탄자기계발
책으로 PPT 만들기 1
책으로 100년 수입 창출 시스템 PPT 교안 만들기
"최초" 책으로 PPT 만들기 사용 설명서
"최초" 책으로 교안 만들기 사용 설명서
"최초" 작가, 강사 필독 도서
최보규 방탄강사 코칭전문가
서윤희 방탄강사 코칭전문가
BOOKK
NAVER 책으로PPT만들기
NAVER 최보규

종이책 표지 디자인
Google 자기계발아마존
YouTube 방탄자기계발
방탄강사 1
세계 최초 방탄강사 6단계 CLASS 시스템
CLASS 1 강사 1년~2년차
CLASS 2 강사 3년~9년차
CLASS 3 강사 10년~20년차
CLASS 4 강사료 올리는 방법
CLASS 5 강사 재테크 강사 비수기
CLASS 6 강사 은퇴 강사 코칭
최초!
강의 1,000개 분야! 강사 10가지 분야를 통합 시킨
최초! "강사 백과사전인 방탄강사!"
"최초" 강의, 강사 백과사전
"최초" 강사양성 사용설명서
"최초" 방탄강사 사용설명서
BOOKK
최보규 방탄강사 창시자
NAVER 방탄강사1
NAVER 최보규

종이책 표지 디자인
Google 자기계발아마존
YouTube 방탄자기계발
세계 최초! 출판계의 혁신!
최보규의 책 쓰기
10G
ONLY ONE
방탄
BOOK
기술력
책쓰기
일타강사
세계 최초
방탄
BOOK
특허청
등록
최보규 방탄BOOK 창시자
서윤희 방탄BOOK 전문가
BOOKK
NAVER 최보규의책쓰기10G
NAVER 최보규

종이책 표지 디자인

Google 자기계발아마존

YouTube 방탄자기계발

NAVER 자기계발아마존

NAVER 최보규

종이책 표지 디자인
Google 자기계발아마존
YouTube 방탄자기계발
방탄동기부여
초고속 충전
방탄동기부여
초고속 충전
UP
특허청
등록
강사야
대표 강사
동기부여
일타강사
최보규 방탄동기부여 일타강사
BOOKK
NAVER 방탄동기부여초고속충전
NAVER 최보규

종이책 표지 디자인

Google 자기계발아마존

YouTube 방탄자기계발

NAVER 방탄리더사관학교

NAVER 최보규

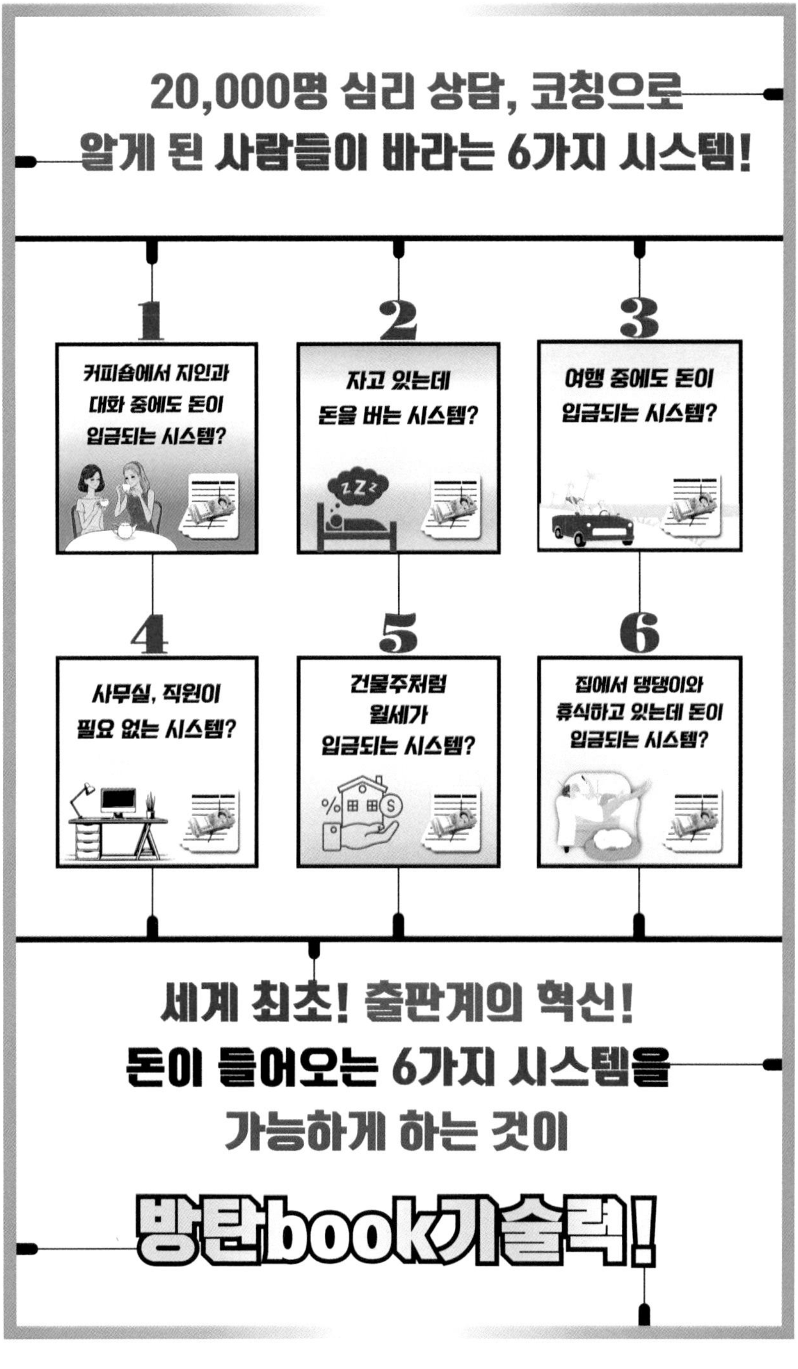

20,000명 심리 상담, 코칭으로
알게 된 사람들이 바라는 6가지 시스템!
1
커피숍에서 지인과 대화 중에도 돈이 입금되는 시스템?
2
자고 있는데 돈을 버는 시스템?
3
여행 중에도 돈이 입금되는 시스템?
4
사무실, 직원이 필요 없는 시스템?
5
건물주처럼 월세가 입금되는 시스템?
6
집에서 댕댕이와 휴식하고 있는데 돈이 입금되는 시스템?
세계 최초! 출판계의 혁신!
돈이 들어오는 6가지 시스템을
가능하게 하는 것이
방탄book기술력!

평균 희망 은퇴 73세, 현실 은퇴 나이 49세!
100세 시대 언제까지 몸(노동)으로만
일해서 돈을 벌 것인가?
세상, 현실 기준에서 스펙, 돈, 인맥, 자산 등이 없어서 100세까지 노동을 해야 되고 몸까지 아프면 더 답이 없는 상황! 젊을 때는 100가지 중 99가지를 할 수 있지만 나이 들면 100가지 중 99가지를 할 수 없다. 3고 시대, AI 시대, 챗GPT 시대에 자신의 직업이 사라 질 수 있는 상황에서 어떻게 준비, 대비할 것인가?
방탄BOOK기술력
선택이 아닌 필수!
세계 최초
방탄
BOOK
기술력
Google 자기계발아마존
YouTube 방탄자기계발
NAVER 방탄BOOK
NAVER 최보규

대한민국 99%가 책 쓰기, 출간하는 방법만
교육, 코칭 한다!
6가지 수입 창출 책 쓰기, 출간 기술력을
교육, 코칭 하는 곳은 방탄book뿐이다.

방법을 알면 1권 출간하고 끝이지만
방탄book기술력을 알면
10권, 100권, 1.000권... 도 가능하다.

150권 출간 한 책 중에 종이책 앞면 표지 디자인 한 것을 보면서 어떤 생각이 들었는가?

20,000명 심리 상담, 코칭 하면서 쌓인 내공과 종이책 150권, 전자책 250권 총 400권 출간했던 내공으로 당신이 지금 어떤 생각이 들었고 어떤 궁금증이 생기는지 맞혀 보겠다.

“PPT 디자인 수준이 상 → 중 → 하 → 마우(마우스만 움직일 줄 아는 우주 초보)에서 마우라고 했는데… 어떻게 표지 만든 실력이 디자인 전문가 그 이상으로 할 수 있을까? 디자인 전공을 했던 전문가의 수준인데? 마우라는 말 거짓말 아닐까? 진짜 마우 실력으로 저 정도 표지를 만들 수 있는 기술력을 배울 수 있다면 무조건 교육, 코칭 받고 싶다.”

어떤가? 속마음이 들켰는가? 필자가 신의 능력이 있는 것은 아니다. 그만큼 내공, 통찰력이 있다는 것이다.

이 책을 보고 있는 사람들 대부분은 일반 사람이 아닐 것이다. PPT와 연관된 사람이거나, 책 쓰기, 책 출간에 관심이 많은 사람이거나, 자신 분야 전문성을 살려 제2 수입, 제3수입을 올리고 싶어서 보는 사람들일 것이다.

그래서 자신 있게 이런 말을 하고 싶다. "이 책을 보고 있는 당신은 천재일우(천 년에 한 번 만난다는 뜻으로 좀처럼 만나기 어려운 기회)온 것이니 모든 것을 흡수해라."

책 표지, 책날개 표지 디자인 만들 수 있는 도구들이 많다. 그중에서 무료로 많이 쓰는 것이 미리캔버스, 캔바(Canva)이다. 미리캔버스, 캔바(Canva) 사용 설명서는 네이버에서 검색하면 어마어마하게 많고 마우(마우스만 움직일 줄 아는 우주 초보)도 할 수 있는 수준이다.

필자가 쓰고 있는 프로그램은 망고보드다. 망고보드 프로그램에 들어가서 보면 알겠지만 마우(마우스만 움직일 줄 아는 우주 초보)도 충분히 가능한 프로그램이라는 것이다. 종이책 150권, 전자책 250권 총 400권 책 출간하면서 연관된 모든 디자인들 99%가 망고보드에서 작업을 했다는 것이다.
지금도 필자의 PPT 디자인 수준이 마우(마우스만 움직일 줄 아는 우주 초보)인데도 디자인 전문가 못지않게 책 표지를 디자인 할 수 있었던 것이 쉽게 사용 할 수 있는 망고보드 프로그램이라는 것이다. 다만 무료 버전이 아닌 유료 버전을 사용해야 한다.

무료가 전부 가치가 없는 건 아니지만 극소수 빼고는 무료는 무료만큼의 가치밖에 하지 않는다. 디자인을 할 때 무료 버전을 사용할 수도 있지만 될 수 있으면 사용하면 안 되는 이유가 이미지, 폰트 저작권 문제로 저작권법에 걸려 문제가 생길 수 있기 때문에 망고보드 유료 버전을 사용하는 것이다.

트렌디한 디자인이 필요할땐
망고보드
저작권 걱정 No 다양한 템플릿 제공
매주 새로운 고퀄리티의 템플릿이!
망고보드 1:1 코칭
최보규 망고보드 전문가
010-6578-8295
망고보드
쉽게
따라하기
세상에서 가장 쉬운 디자인!
마우스만 움직일 줄 알면 전문 디자인이 된다!
망고보드 1:1 코칭 한번으로
우주 책임감
150년 a/s, 피드백, 관리! 상담받자!
망고보드
핵심 팁!

"책 앞면 표지가 책의 전부는 아니지만 때론 책 앞면 표지가 책의 전부가 될 수 있다." 시각적인 것이 그만큼 중요하다는 것이다. 제목이 특별해서 선택하지 않는 한 90%는 책을 선택하고 안 하고는 책 앞면 표지 디자인으로 판단한다고 봐도 무방하다. 그래서 책 앞표지 디자인에 신경을 많이 써야 한다. 다음으로 나오는 책 표지 디자인을 보고 당신은 몇 번을 선택할 것인가?

독자들이 책을 선택할 때 여러 가지를 볼 것이다. 표지, 제목, 목차, 작가, 책 소개 글... 등 이 중에서도 가장 중요한 첫인상을 좌우하는 것은 표지라는 것이다.

표지가 끌려야 제목, 목차, 작가, 책 소개 글... 등 을 본다는 것이다.

♥ 책 표지 디자인을 제대로 하느냐 안 하느냐 차이 비유 설명.

1. 영화로 비유를 하면 2D 영화냐, 4D 영화냐 차이다.

2. 사랑으로 비유를 하면 한 번 만나고 믿음, 신뢰, 사랑 비전 제시 없이 프러포즈하느냐, 1년(4계절을 겪으면서 감정 변화를 적응하는 시기)을 함께 하면서 믿음, 신뢰, 사랑 비전을 주고 프러포즈하느냐 차이다.

3. 결혼으로 비유를 하면 결혼식 하루(30분)를 위해서 신혼집, 스드메에만 집착을 하느냐, 결혼 생활 100년을 위해서 부부행복(남편 13계명, 아내 13계명)학습, 연습, 훈련에 집중하느냐 차이다.

4. 독자들이 이해하는 속도로 비유를 하면 2G 속도, 5G 속도 차이다.

5. 자동차로 비유를 하면 깡통 자동차, 풀 옵션 자동차 차이다.

6. 여자 화장으로 비유를 하면 노 메이크업, 풀 메이크업 차이다.

7. 요리로 비유를 하면 요리 재료인 당근, 양배추, 양파, 대파... 등을 통째로 넣느냐, 먹기 좋게 칼질해서 넣느냐? 차이다.

그만큼 책 표지는 책의 전부가 된다는 것을 명심하자!

지금부터는 출판계 혁신인 6가지 수입 창출을 지속적(100년)으로 할 수 있는 방탄book기술력을 교육, 코칭할 때 망고보드를 활용해서 표지 만드는 방법을 오픈한다.

#. 출간한 책 종이책 150권, 전자책 250권 총 400권 출간 중 5권의 책 표지 디자인 설명을 하겠다.

디자인 마다 디자인 목표, 방향이 다르고 간격이 조금씩 다를 것이다. 똑같이 따라 할 수는 없지만 디자인 콘셉트, 방향을 파악하면 된다.

책 디자인 설명 5가지를 보면 "이런 콘셉트, 흐름으로 책 표지 디자인을 하는구나. 책 표지에서 어떤 의미를 보여 줘야 하는지 감이 온다. 책 표지에서 주인공을 어떻게 부각시켜야 되는지 알겠다."라는 느낌과 자신감이 생길 것이다.

대한민국 99%가 책 쓰기, 출간하는 방법만
교육, 코칭 한다!
6가지 수입 창출 책 쓰기, 출간 기술력을
교육, 코칭 하는 곳은 방탄book뿐이다.

방법만 배우면 평생
몸을 움직여서 돈을 벌어야 하지만
방탄book기술력을 배우면 움직이지
않아도 돈을 벌수 있는 자동 시스템을 만든다.

종이책 표지 디자인 설명
③ 150PX
⑫ 300만원
동기부여 강의
⑤ 560PX
⑧
동기부여
UP
스마트폰은 사용하지 않아도 배터리가 소모되듯
동기부여 또한 숨만 쉬어도 소모가 된다.
"세계 최초" 동기부여 초고속 충전!
① 100PX
② 100PX
⑬
⑥ 440PX
⑭
⑨
동기부여
일타강사
강사야
대표 강사
특허청
등록
⑦ 215PX
⑩ 최보규 동기부여 일타강사
⑪ BOOKK
④ 120PX

1) 《300만원 동기부여 강의》 책 표지 디자인 설명
- 책 앞면 표지 너비 1540PX * 높이 2160PX
(부크크출판사 A5 규격 148+6(제단 선) * 210+6(제단 선)= 너비 154mm * 높이 216mm)

#. 효율적인 표지 날개, 표지 작업과 전자책(PDF) 표지 작업을 위해 너비, 높이를 픽셀(PX)로 작업했다. 픽셀이 아닌 mm로 작업해도 된다.
#. Pixrl(픽셀): 유튜브 썸네일, 상세페이지, 커뮤니티 게시판 등.
#. mm또는 cm: 명함, 라벨, 액자, 머그컵, 현수막 등.

①번, ②번: 핵심 디자인을 가운데 배치했을 때 좌, 우 여택을 주어 안정적인 시각적 효과를 주기 위한 기본 좌, 우 100PX이다. (디자이너마다 다르니 참고)
③번: 위에서부터 150PX (책의 가장 위쪽과 시작하는 디자인과의 안정적인 시각적 효과를 주기 위한 여유 공간)
④번: 위에서부터 120PX (책의 가장 밑쪽과 저자, 출판사 로고와의 안정적인 시각적 효과를 주기 위한 여유 공간)
⑤번: 위에서부터 520PX (책 제목과 제목의 디자인을 안정적인 시각적 효과를 주기 위한 위치)

⑥번: 밑에서부터 440PX (책의 가치를 어필하기 하고 디자인을 안정적인 시각적 효과를 주기 위한 위치)
⑦번: 밑에서부터 215PX (책의 가치를 어필하기 하고 디자인을 안정적인 시각적 효과를 주기 위한 위치)
⑧번: 핵심 존. 책 표지 디자인에서 주인공이라고 느낄 수 있게 디자인을 해줘야 하는 곳이다. 《300만원 동기부여 강의》 책 제목에서 가장 중요한 콘셉트 디자인이 무엇일 거 같은가? '300만 원? 동기부여? 강의?' 이 3가지를 다 어필할 수 있는 디자인이면 좋다. 그 중에서도 핵심 디자인 콘셉트는 강의다. 강의 콘셉트를 상징하고 어필할 수 있는 빔 프로젝터와 스크린을 활용하여 책을 볼 수 있는 궁금증 유발, 호기심 유발을 할 수 있는 핵심 디자인과 핵심 문구를 만들어야 한다. "기존에 알고 있는 동기부여 책과 차원이 다를 거 같다. 무조건 책 읽어 봐야겠다."라는 느낌이 들 수 있는 핵심 디자인을 해야 한다.

《300만원 동기부여 강의》 이 책에 모든 것이 압축되어 알 수 있는 곳이고 주인공이기에 가장 신경을 써야 한다.

#. 화장으로 비유를 하면 외출할 때 하는 가벼운 화장 기법이 아닌 웨딩 촬영할 때 화장하는 풀메이크업을 해야 된다.

⑨번: 책의 가치, 내공, 값어치를 어필하기 위한 디자인이다. 《300만원 동기부여 강의》 책의 가치, 내공, 값어치가 간접적으로 어필이 되어야 한다. 직접적으로 어필은 책 소개에서 하면 된다.

#. 책의 가치, 내공, 값어치를 어필하는 다른 예시를 참고하자.

동기부여 사용설명서, 직장인 필독 도서, 리더 필독 도서, 동기부여 지침서, 자기계발 지침서, 동기부여 바이블... 등

종이책 표지 디자인 설명
③ 150PX
⑫ 300만원
동기부여 강의
⑤ 560PX
⑧
동기부여
UP
① 100PX
② 100PX
스마트폰은 사용하지 않아도 배터리가 소모되듯
동기부여 또한 숨만 쉬어도 소모가 된다.
"세계 최초" 동기부여 초고속 충전!
⑬
⑥ 440PX
⑭
⑨ 동기부여 일타강사
강사야 대표 강사
특허청 등록
⑦ 215PX
⑩ 최보규 동기부여 일타강사
⑪ BOOKK
④ 120PX

⑩번: 저자 이름. 저자 이름 보다 저자가 어떤 전문가 인지를 알리는 명칭을 쓰면 더 효과적이다.
⑪번: 출판사 로고. 부크크 홈페이지에서 '자주 묻는 질문' 으로 들어가면 도서를 클릭하면 로고 파일 다운로드가 있다.
⑫번: 책 제목. ⑧번 핵심 존 디자인 좌우 사이즈를 경계로 제목을 디자인한다. 핵심 존 디자인 다음으로 잘 보여야 할 것이 제목 디자인이다. 제목이 주인공인 거 같지만 표지 전체적인 디자인에서 핵심 디자인 어필이 되어야만 제목이 가지고 있는 뜻의 의미가 극대화 된다. (핵심 존 좌우 간격 260PX, 디자인마다 가격이 다를 수 있다.)
한번 생각해 보자. 제목이 화려한데 핵심 디자인이 제목을 받쳐주지 못하면 책 제목의 화려함은 장점이 아닌 단점이 되어 버린다. 지금 시대 평균적인 사람들의 시각적인 심리를 잘 읽어야 한다. 하루가 멀다 하고 대중매체, 유튜브, 인스타그램, SNS 등으로 인해서 어마어마하게 화려한 영상, 이미지를 보고 있다. 수준이 높아진 시각적인 심리 상황에서 일단 디자인이 화려하지 않으면 어필이 되지 않는다는 것이다. 다음으로 나오는 《300만 원 동기부여 강의》 책 표지의 화려하지 않는 책 표지 버전과 화려한 책 표지 버전 비교한 것을 보면 좀 더 이해가 될 것이다.

표지 비교

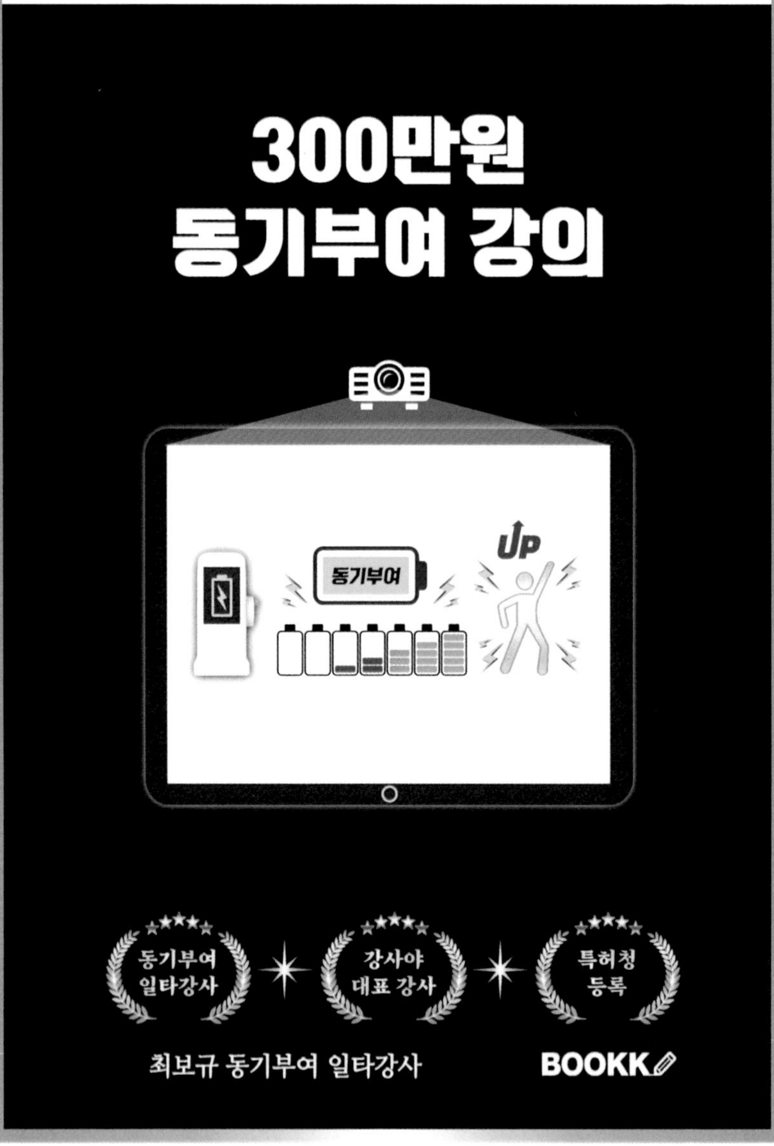
300만원
동기부여 강의
동기부여
UP
동기부여 일타강사
강사야 대표 강사
특허청 등록
최보규 동기부여 일타강사
BOOKK

표지 비교

300만원
동기부여 강의
동기부여
UP
스마트폰은 사용하지 않아도 배터리가 소모되듯
동기부여 또한 숨만 쉬어도 소모가 된다.
"세계 최초" 동기부여 초고속 충전!
동기부여 일타강사
강사야 대표 강사
특허청 등록
최보규 동기부여 일타강사
BOOKK

종이책 표지 디자인 설명

③ 150PX
⑫ 300만원
동기부여 강의
⑤ 560PX
⑧
동기부여
UP
① 100PX
② 100PX
스마트폰은 사용하지 않아도 배터리가 소모되듯
동기부여 또한 숨만 쉬어도 소모가 된다.
"세계 최초" 동기부여 초고속 충전!
⑬
⑥ 440PX
⑭
⑨ 동기부여 일타강사
강사야 대표 강사
특허청 등록
⑦ 215PX
⑩ 최보규 동기부여 일타강사
⑪ BOOKK
④ 120PX

⑬번: 배경 이미지. 《300만원 동기부여 강의》 책은 강사가 강의하는 콘셉트이기에 강단을 화려하면서도 은은한 무대 사진으로 디자인했다. 배경 이미지가 화려해버리면 주인공이 죽는다. 배경 이미지는 제목 다음으로 조연배우다.
⑭번: 바탕색. 배경 이미지와 어울릴 수 있는 검정색으로 했다.

종이책 표지 디자인 설명인 ①번 ~ ⑭번까지 설명 내용을 보니 어떤 생각이 드는가?

20,000명 심리 상담, 코칭 하면서 쌓인 내공과 종이책 150권, 전자책 250권 총 400권 출간했던 내공으로 당신이 지금 어떤 생각이 들었고 어떤 궁금증이 생기는지 알아맞혀 보겠다.

"시중에 있는 책 쓰기 교육, 책 출간 코칭을 수십 번 듣고 시중에 있는 책 쓰기 책, 책 출간 책 수십 권을 봤는데... 그 누구 하나 설명하지 않고 설명 못하는 디테일한 책 표지 설명 내용을 보니 대단하다는 생각도 들고 존경하는 마음이 든다. 초보자 눈높이에서 세심하게 설명하는 마음에 책 표지 만드는 초보자라면 감동을 받을 수 있을 거 같다. 표지 디자인 마우(마우스만 움직일 줄 아는 우주 초보) 실력으로 이렇게 디테일하게 설명을 할 수 있다니 진짜 대단하다. 역시 종이책 150권, 전자책 250권 총 400권 출간한 내공 장난이 아니다. 이렇게 디테일하게 설명을 해줘도 디자인이라는 것을 처음 접하는 사람들은 힘들 거 같은데... ①번 ~ ⑭번 너무 할게 많은 거 아닌가? 뭐든 쉬운 게 없네... 좀 더 쉽게 하는 방법 없을까?"

사람마다 느끼는 것이 다를 수 있다. 하지만 20,000명 심리 상담, 코칭과 150권 출간 경력에서 나오는 평균치 데이터는 무시는 할 수 없을 것이다.

필자가 출판계 혁신인 방탄book기술력(6가지 수입 창출 시스템)100년 활용 할 수 있는 기술력)교육, 코칭에서 늘 하는 말이 있다. "아무리 쉬운 것도 해보지 않으면 우주에서 가장 어려운 것이고 알고 나면 우주에서 가장 쉬운 것이 됩니다."

필자가 2,000권 책을 보았다. 그 중에서 시중에 있는 책 쓰기, 책 출간 책을 30권 정도 봤고 책을 책 쓰기 교육, 강의 책 출간 교육, 강의를 몇 십 개를 보았다. 그 교육, 과정을 욕하는 것이 아니다. 오해하지 말고 들었으면 한다. 필자 기준에서 말을 하는 것이니 참고하길 바란다.

필자가 책 쓰기, 책 출간 교육, 강의를 듣고 봤던 내용들이 너무 어려웠다. 책 쓰기만, 책 출간만 하면 끝나는 방법들이 대부분이었고 힘들게 출간한 책이 3개월 후에라면 냄비 받침대가 되어 쓰레기 취급 당하는 상황들을 보면서 결심, 다짐의 결과가 지금 이 책을 쓰고 있는 것이다.

감히 말하건대 대한민국, 세계에서 책 쓰기, 책 출간을 이렇게까지 디테일하게 알려주는 사람은 없고 책도 없다. 계속 언급하지만 지금 이 책을 보고 있는 당신은 인생에 천재일우(천 년에 한 번 만난다는 뜻으로 좀처럼 만나기 어려운 기회) 온 것이니 조상에서 감사하고 "내가 인생을 지금까지 잘 살아서 이런 기회가 오는구나!"라는 마음으로 제대로 배우길 바란다.

다른 책 쓰기, 책 출간 책들은 독학할 수 없는 내용들이다. 왜 어려운지 아는가? 독학할 수 있는 디테일한 설명이 없는 것도 있지만 가장 중요한 것은 책 쓰기, 책 출간을 독학했더라도 초보자 눈높이에 맞춰서 설명을 못 한다는 것이다. 처음 배울 때 어렵고 힘든 점을 극복하고 능숙하게 할 수 있는 수준까지 올라가면 초심을 까먹는다는 것이다. 한마디로 망각을 한다. 그래서 초보자 눈높이에서 책 쓰기, 책 출간 교육, 강의가 아닌 "이 정도는 알겠지"라는 태도로 올챙이 시절 기억을 못하는 교육자, 코칭 전문가들이 대부분이다. 스포츠계 격언 중에 '스타플레이어 출신은 명감독이 될 수 없다'라는 말이 있다. 상대방 눈높이가 아닌 자신이 했던 방법으로 고집부리고 알려주면서 "이런 것도 못하나?"라는 태도로 알려주기 때문이다.

다음 내용은 자신 생각을 바꾸기 위해서, 상대방 생각을 바꾸기 위해서 교육, 코칭 할 때 무엇을 먼저 해야 되는지 깨닫게 해주는 스토리텔링이다.

- 자신 생각을 바꾸는 데는 책 1톤이 필요하고 상대방 생각을 바꾸는 데는 책 2톤이 필요하다!
다음은 리더가 상대방을 변화시키기 위해 가장 먼저 해야 할 것이 무엇인지 깨닫게 해주는 스토리텔링이다.

스포츠계 격언 중에 '스타플레이어 출신은 명감독이 될 수 없다'라는 말이 있다. 선수 시절의 성과와 명성에 비해 감독으로서 기대에 못 미쳤던 사례가 많았던 것을 두고 하는 말이다. 물론 최근에는 스타플레이어 출신이면서도 선수 시절 못지않은 성과와 명성을 나타내는 감독들의 사례가 점차 늘어나는 추세지만, 여전히 많은 사람들에게는 '스타플레이어 출신은 감독으로 성공하기 어렵다'라는 인식이 자리 잡고 있는 것도 사실이다. "아니 이 플레이가 왜 안 되지?" 많은 이들은 스타플레이어 출신의 지도자가 성공하기 힘든 이유를 '자신의 성공 경험을 근거로 선수들의 플레이를 바라보고 그 결과를 이해할 수 없기' 때문이라고 한다. 즉, 선수들을 공감하지 못한다는 것이다. 그러나 필자는 스타플레이어 출신의 감독들이 성공하지 못하는 이유가 '공감 능력의 결여'보다 '감독 역할에 대한 명확한 인식과 충분한 준비 없이' 리더로 선임되었기 때문이라고 생각한다. 선수 시절에는 자신에게 주어진 역할만 수행하면 되었지만, 감독은 선수 개개인과 팀 전체를 모두 바라보고 그들이 성공을 거둘 수 있도록 노력해야 하는 완전히 다른 성격의 역할이기 때문이다. 그럼에도 불구하고 여전히 스포츠 현장에서는 스타플레이어 출신의 성공을 막연하게 기대하면서 쉽게 감독 역할을 맡기는 경우도 빈번하게 일어나고 있다. 그래서 스포츠계 일각에서는 이러한 시행착오를 줄이기 위해 스타플레이어 출신의 지도자를 바로 감독의 포지션에 올려놓기보다 다양한 현장 경험을 쌓게 한 후 감독으로 선임하는 움직임도 나타나고 있다.

많은 기업과 조직에서도 리더를 선임할 때, 후보자의 과거 성공 경험만을 근거로 역할을 부여하는 사례들을 쉽게 볼 수 있다. 물론 과거의 성공 경험은 리더로 성장하는 과정에서 중요한 역할을 해줄 것이다. 하지만 실무자와 리더는 완전히 다른 차원의 영역이다. 성공한 실무자가 리더로서도 성공할 것이라고 막연하게 기대하는 것은 마치 '잭팟이 터지길 기대하며 나의 전 재산을 베팅하는 위험한 도박'과도 같다. 리더 후보자가 다양한 학습과 경험을 통해 실무자로서 성공했듯이, 성공하는 리더로 성장하기 위해서도 충분한 학습과 경험이 필요하다. 리더가 갖춰야 할 폭넓은 시각과 리더십은 하루아침에 생겨나지 않는다. 우리 조직에 역량 있는 리더들이 많아지길 원한다면 '누구에게 리더를 맡길까?'라고 고민하기 이전에 '성공하는 리더가 되게 하려면 어떤 학습과 경험을 제공할 것인가?'에 대해 진지하게 고민하고 실천하는 것이 무엇보다 우선되는 과제라고 생각한다.

<브론치 라운드에 지혜, 구선생>

2002년 한일 월드컵이 끝나고 이영표 선수의 인터뷰 중 한 장면이다. "우리나라가 세계 4강이라는 놀라운 성적을 거두었습니다. 계속 좋은 성적을 유지하려면 어떤 선수가 필요할까요?" 아나운서의 질문을 받은 이영표 선수는 잠시 머뭇거리더니 이렇게 답했다. "우리나라에는 좋은 선수가 아니라 좋은 선수를 길러내는 코치가 더 필요합니다." 축구를 잘하는 것과 축구를 잘하도록 가르치는 것은 다르다는 말이다.

《강의력》

자신의 생각을 바꾸는 데는 책 1톤이 필요하고 리더 코칭 전문가는 의뢰자, 가족, 아내, 남편, 자녀, 직원, 조직체원...등 생각을 바꿔주기 위해서는 책 2톤의 내공이 있어야 한다. 책 1권 평균 500g(평균 250페이지)이다. 1,000권이면 500kg, 2,000권이면 1톤이다. 책 1,000권을 읽으면 자신의 가치관이 바뀌고 책 2,000권을 읽으면 상대방을 바꿀 수 있다는 것이다. 그만큼 리더 코칭 전문가는 상대방을 바꿀 수 있는 내공이 있어야만 하는 것이다.

20,000명 심리 상담, 코칭 하면서 뼈저리게 느끼는 것이 있다. 사람이 30년을 살면 바뀌지 않는 가치관이 생기고 60년을 살면 신도 바꿀 수 없는 가치관이 형성된다는 것을 알게 되었다. 하나 더 추가를 하면 한 분야 20년 이상 경력이 있는 사람은 100년의 경력을 갖고 있는 경력자도 바꿀 수 없는 가치관이 생긴다.
그래서 리더 코칭 전문가는 자신 분야를 학습, 연습, 훈련하는 것은 당연한 것이고 불특정 다수의 사람들, 상황들 코칭을 하기 위해서는 평균적으로 사람들이 걱정, 고민들을 학습, 연습, 훈련을 꾸준히 해야 한다.

《리더의 방탄 인간관계 7》

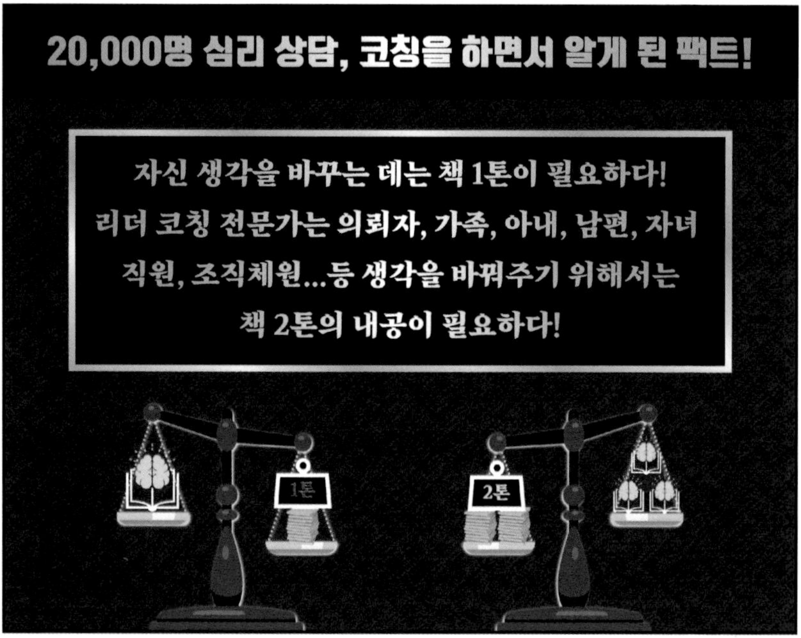

자신 생각을 바꾸기 위해서는 책 1톤(2,000권), 상대방 생각을 바꾸기 위해서는 책 2톤(4,000권)의 내공이 있어야만 가능하듯이 시중에 책 쓰기, 출간 교육, 코칭 전문가들 중 내공 있는 사람들이 없어서 책 쓰기, 책 출간 책을 보더라도 독학하기 힘들다는 것이다. 내공이 있더라도 따라 하기 쉽게 사용 설명서를 만들어 놓은 사람들이 없다.

《PPT로 책출간》 책을 통해서 말하고 싶은 것은 책 쓰기, 책 출간을 순서대로 따라 한다면 얼마든지 독학으로 가능하다고 말을 하고 싶다는 것이다.

그럼에도 불구하고 "최보규 방탄book 코칭전문가님 저는 멘토로 되어주고 150년 a/s, 피드백, 관리 받을 수 있는 방탄book기술력을 배우고 싶습니다."**라는 마음이 드는 사람들은 상담 받길 바란다.**

"당신은 제가 좋은 사람이 되고 싶도록 만들어라"라는 마음을 들게 하는 멘토가 되어 주겠다.

이제 부터는 종이책 표지 디자인 설명 2), 3), 4), 5)를 설명하겠다. 가장 빠르게 배우는 방법은 만들어 놓은 것을 계속 반복적으로 익숙해질 때까지 보고 경험하며 실습을 해보는 것이다. 종이책 표지 디자인 설명 2), 3), 4), 5)는 어떤 콘셉트로 만들어 졌는지 집중해서 보길 바란다.

종이책 표지 디자인 설명
③
① PPT로 책 출간
② PPT로 100년 수입 창출 책 쓰기, 책 출간
④
⑤
⑥
300만원 동기부여 강의
1조 리더십 강의
⑦
⑧
"최초" PPT로 책쓰기 사용 설명서
"최초" PPT로 책출간 사용 설명서
"최초" 방탄 책쓰기 지침서
최보규 방탄책쓰기 전문가
BOOKK

2) 《PPT로 책 출간》 책 표지 디자인 설명

#. 좌, 우, 위, 아래 기본 픽셀(PX) 사이즈는 1표지 제작과 동일하기에 1표지 설명을 참고하길 바라고 빠른 설명을 위해 표지 콘셉트 설명만 하겠다.

①번: 책 제목. 처음 생각한 제목이 강의 교안으로 책 쓰기고 책 출간이었다. 강의 교안으로 해버리면 강사 직업만 한정 짓는 거 같아서 PPT를 활용하는 모든 사람들이 볼 수 있는 제목을 만들기 위해서 책 제목을 《PPT로 책 출간》으로 정했다. 책 제목에서 책이 추구하는 목표, 방향, 대상, 연령층, 직업군... 등 한마디로 타겟층이 명확하게 나와야 한다. 가장 중요한 것은 시중에 나와 있는 책 제목과 차별화가 있어야 되고 끌려야 한다. 책 표지 디자인의 차별화가 70% 라면 책 제목 차별화는 30%다.

자신이 책 쓰고 싶은 분야 책 제목을 포털 사이트에서 검색을 해보고 책 쓰고 싶은 분야 책을 100권 정도 보면 어떤 제목들이 많고 디자인은 어떤지 평균적인 감이 올 것이다. 그런 다음 자신이 쓰고 싶어 하는 책 분야 현실 트랜드, 타겟층의 심리까지 어느 정도 파악해서 책 제목을 만든다면 차별화된 책 제목이 나올 것이다.

②번: 부제목. 말 그대로 부제목이다. 제목을 뒷받침해서 책 목표, 방향을 좀 더 구체적으로 알려주는 부제목이다. 사람의 심리는 글보다는 시각적인 이미지가 더 강력하게 반응하지만 이미지를 폭발 시키는 것이 압축적인 핵심 문구다. 제목만 있을 때와 부제목이 같이 있을 때 차이는 개미와 코끼리 차이다. 부제목이 책의 전부를 설명하는 경우도 있다.

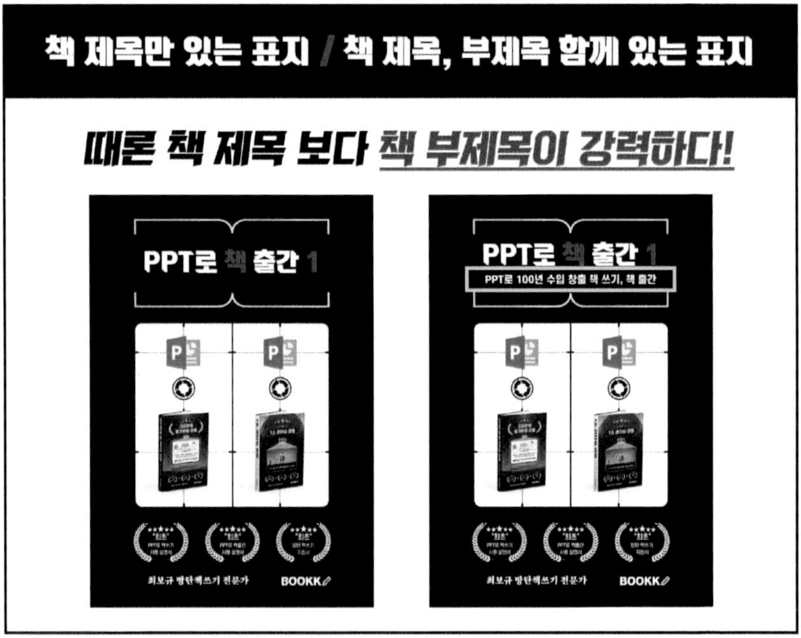

③번: 책 제목 디자인. 말 그대로 제목을 강조하기 위한 디자인이다. 직사각형으로 디자인할 수 있었지만 책 제목이 책 출간이기에 책을 상징하는 디자인으로 했다. 직사각형과 책을 연상시키는 디자인 차이점이 확연히 보일 것이다. 어떤 옷을 입느냐에 따라 스타일이 살고 죽듯 책 제모 디자인 또한 어떻게 하느냐에 따라 제목을 살리고 죽인다.

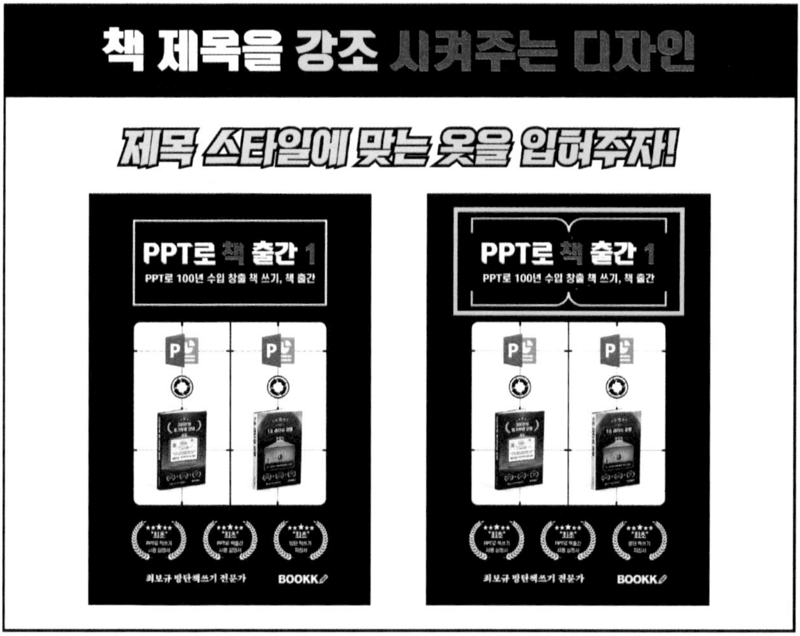

종이책 표지 디자인 설명
③
① PPT로 책 출간
② PPT로 100년 수입 창출 책 쓰기, 책 출간
④
⑤
⑥
300만원 동기부여 강의
1조 리더십 강의
⑦
⑧
"최초" PPT로 책쓰기 사용 설명서
"최초" PPT로 책출간 사용 설명서
"최초" 방탄 책쓰기 지침서
최보규 방탄책쓰기 전문가
BOOKK

④번: 책 표지 디자인 핵심 존. 책 제목이 느낄 수 있는 이미지를 만들어야 한다. 단순하게 PPT 아이콘 이미지에 책 이미지로 넣는다면 뻔한 책 표지가 되어 버린다. 좀더 차별화를 주고 시중에 있는 다른 책과 다른 콘셉트를 주기 위해서 로봇 조립 장감만을 사면 부품들이 하나씩 연결 되어 있는 디자인을 토대로 책 아이콘이 아닌 진짜 책을 출간한 책 이미지를 넣었다.

결과물(출간한 책)을 넣어야만 더 삼성(진정성, 전문성, 신뢰성)이 어필 된다.

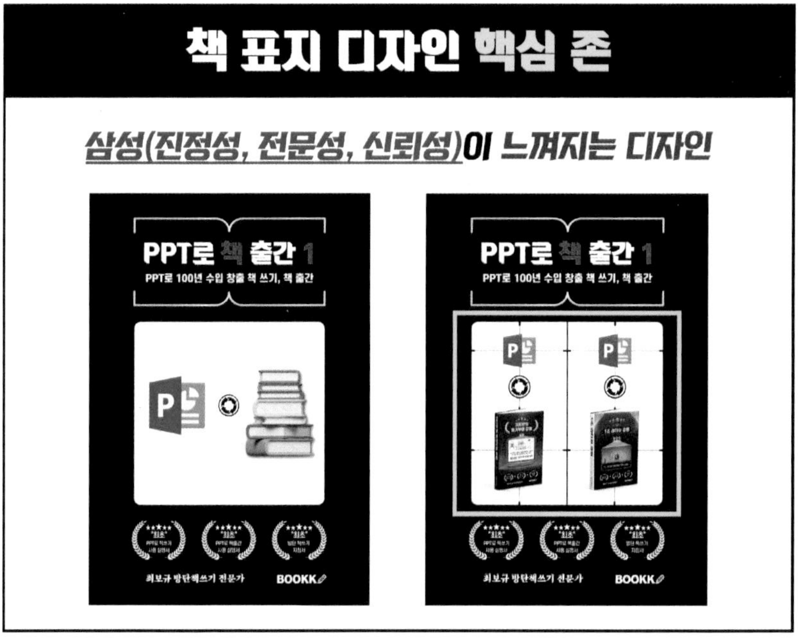

종이책 표지 디자인 설명
③
① PPT로 책 출간
② PPT로 100년 수입 창출 책 쓰기, 책 출간
④
⑤
⑥
300만원 동기부여 강의
1조 리더십 강의
⑦
⑧
"최초" PPT로 책쓰기 사용 설명서
"최초" PPT로 책출간 사용 설명서
"최초" 방탄 책쓰기 지침서
최보규 방탄책쓰기 전문가
BOOKK

⑤번: PPT 아이콘. 책 제목에 맞는 직관적인 아이콘으로 디자인했다.

⑥번: 바꾸는 아이콘. PPT를 책으로 바꾸는 아이콘이나 업데이트 아이콘으로 디자인했다.

⑦번, ⑧번: 3D입체 표지. PPT를 책으로 출간한 책 3D 입체 표지로 디자인했다. 결과물을 만들어 냈던 실제 이미지로 디자인하면 삼성(진정성, 전문성, 신뢰성)이 어필 된다.

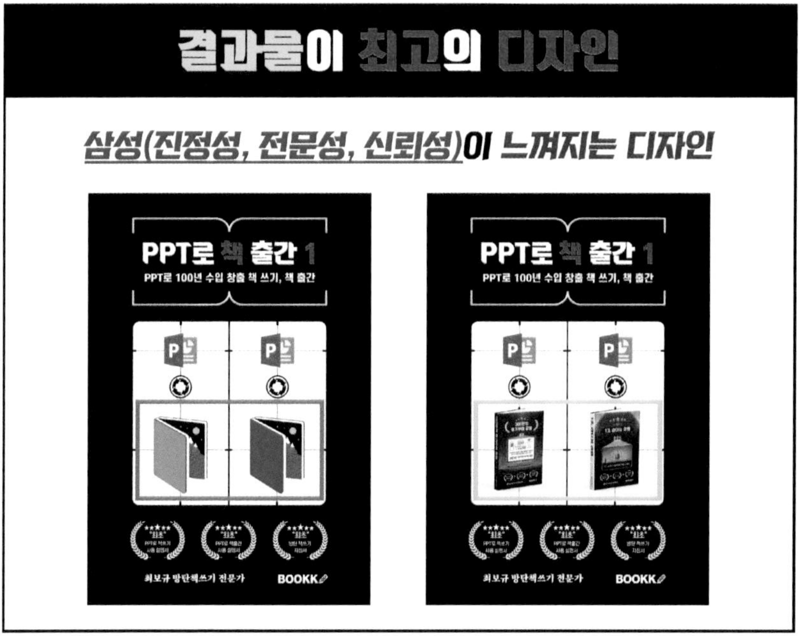

종이책 표지 디자인 설명

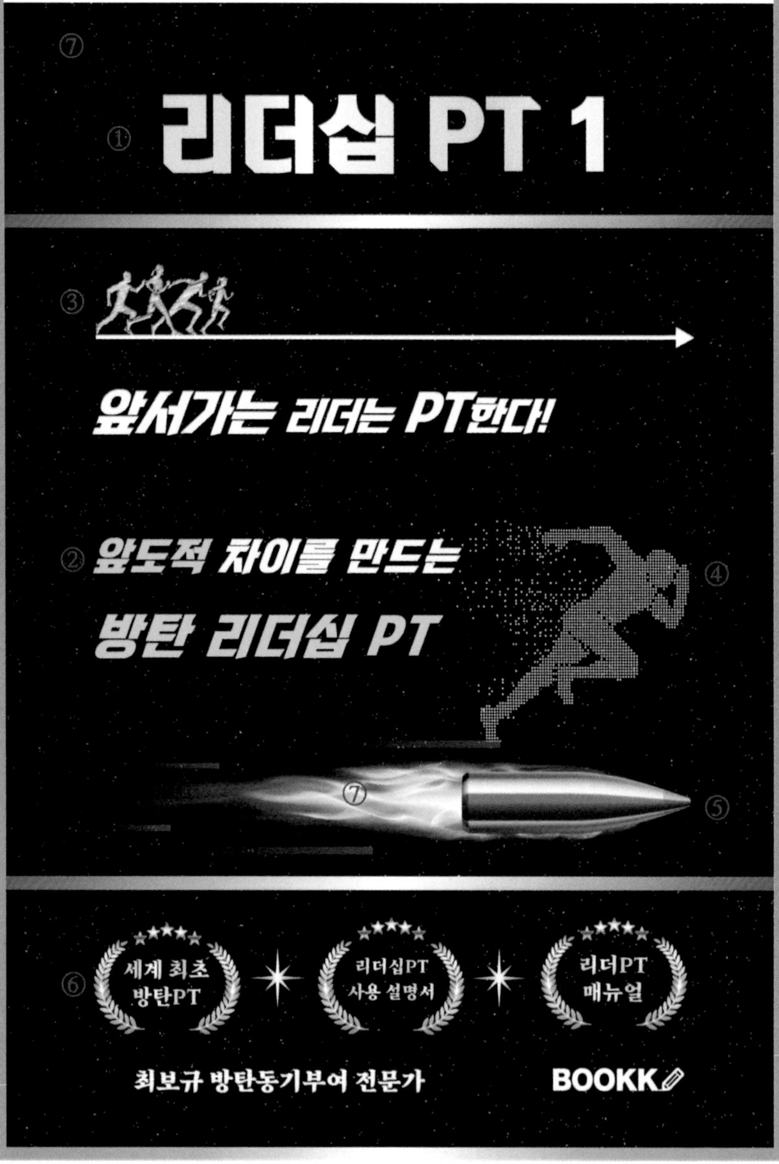
⑦
① 리더십 PT 1
③
앞서가는 리더는 PT한다!
② 압도적 차이를 만드는
방탄 리더십 PT
④
⑦
⑤
⑥
세계 최초 방탄PT
리더십PT 사용 설명서
리더PT 매뉴얼
최보규 방탄동기부여 전문가
BOOKK

3)《리더십 PT 1》 책 표지 디자인 설명

#. 좌, 우, 위, 아래 기본 픽셀(PX) 사이즈는 1표지 제작과 동일하기에 1표지 설명을 참고. 빠른 설명을 위해 표지 콘셉트 설명만 하겠다.

①번: 책 제목. 《리더십 PT 1》 책은 1 ~ 11까지 있다. 책 제목을 짓기 위해 많은 검색과 생각을 했고 뻔한 리더십 책 제목이 아니라 책이 추구하는 목표, 방향을 정확하게 들어낼 수 있는 책 제목을 짓기 위해 고민을 많이 했었다. 1,000년이 흘러도 제목이 시대에 뒤처지지 않는 책 제목을 만들고 싶었다.

어느 날 방탄book기술력 코칭을 하러 가는 중에 헬스 PT 전단지가 보였다. 순간 피카츄 100만 볼트 전기가 머리를 스쳤다.

헬스 PT 뜻은 Personal Training의 약자로 1대1 맞춤형 트레이닝이다. 사람마다 다른 체형별 운동을 지도해 목적과 목표에 맞는 운동 방법을 제시하는 것이다. 한마디로 체계적인 시스템 안에서 운동을 헬스 전문가에게 배우는 것이다.

리더십도 마찬가지다. 위치가 사람을 만드는 것이 아니

라 리더십을 체계적으로 시스템 안에서 학습, 연습, 훈련하지 않으면 위치가 사람을 망치고 인재를 떠나게 하여 회사를 망하게 한다. 그래서 세계 최초로 리더십 PT 시스템을 만들었다. 특허청 등록으로 검증된 리더십 PT 11권 책 제목이 되었다.

특허청 등록
최보규 리더동기부여 코칭전문가
등록 번호: 제 40-2128786 호
"세계 최초 리더십 PT"
리더십 PT 1
리더십 PT 2
리더 자존감 PT 3
리더 멘탈 PT 4
리더 습관 PT 5
리더 행복 PT 6
리더 자기계발 PT 7
리더 자기계발 PT 8
리더 자기계발 PT 9
리더 코칭 PT 10
방 탄
리더십
리더 코칭 PT 11

세상에는 3부류에

리더십 PT를 배우는 사람이 있다!

리포자(리더십 PT 포기자)

수많은 리더십 PT 영상, 글... 등을 봤지만 전혀 동기부여가 되지 않아 리더십 PT를 포기한 사람.

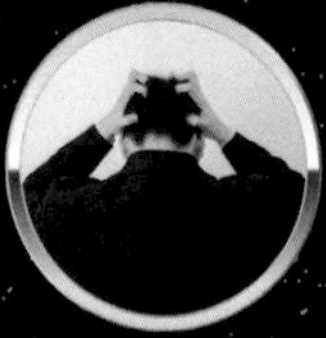

리포 예정자

수많은 리더십 PT 독서, 자격증, 교육, 코칭을 받지만 그때뿐이고 시간, 돈 낭비만 하는 사람.

NAVER 방탄리더십

리케시(리더십 PT 케어 시스템)

리더십 PT 시스템 안에서 리더십 PT 주치의에게 150년 a/s, 피드백, 관리 받으면서 자신 분야 변화, 성장을 초고속으로 준비 하는 사람.

쉬운 것도 모르면
우주에서 가장 어려운 것이 되고
알고 나면
우주에서 가장 쉬운 것이 된다.
80억 분의 1 검증된 전문가
(종이책 150권, 전자책 250권 총 400권 출간)
"우주 최초 우주 책임감!"
150년 a/s, 관리, 피드백
방탄book기술력 코칭
150년 a/s, 관리, 피드백 받으세요!
저거다! 방탄book기술력
Google 자기계발아마존
YouTube 방탄자기계발
NAVER 방탄book출판사
NAVER 최보규

종이책 표지 디자인 설명

⑦
① 리더십 PT 1
③
앞서가는 리더는 PT한다!
② 압도적 차이를 만드는
방탄 리더십 PT
④
⑦
⑤
⑥
세계 최초 방탄PT
리더십PT 사용 설명서
리더PT 매뉴얼
최보규 방탄동기부여 전문가
BOOKK

②번: 부제목. 제목을 뒷받침해서 책 목표, 방향을 좀 더 구체적으로 알려주는 부제목이다. 20,000명 심리 상담, 코칭 하면서 알게 된 것은 대부분 사람들은 '차별화를 주기 위해서 힘써야 된다.'라고 알고 있다. 차별화보다 더 강력한 것이 어떤 걸까? 생각과 고민을 하던 중 우주에서 가장 사랑하는 아내가 '앞도적 차이'라는 말을 하는 것이었다. 순간 피카츄 200만 볼트 전기가 머리를 스쳤다. 그래서 앞도적 차이를 만드는 방탄 리더십 PT라는 부제목을 만들었다. 방탄리더십이 추구하는 목표, 방향이 강력하게 전달되는 문구를 만들어서 존경하는 아내에게 늘 감사한다.

③번: 책 제목 디자인. 제목의 날개를 달아주는 디자인이다. 헬스는 누구나 하지만 헬스 PT는 아무나 받지 않듯이 리더십은 누구나 있지만 리더십 PT는 아무나 받지 않는다는 의미가 담겨있는 이미지다. ④번, ⑤번 책 표지 핵심 이미지를 뒷받침해주는 이미지다.

④번, ⑤번: 책 표지 핵심 이미지. 부 제목인 앞도적 차이를 만드는 방탄 리더십 PT를 상징하며 리더십 PT 책 전체 디자인을 한방에 느끼게 해줄 수 있는 역동적이고 강력함을 느끼게 해주는 불꽃 총알 디자인이다.

"이 책을 보면 리더십 PT 받으면 나도 기존에 있는 리더보다 앞서가는 리더가 될 수 있겠다."라는 메시지를 주는 디자인이다.

⑥번: 책 타이틀. 책의 가치, 내공, 값어치를 어필하기 위한 디자인이다. 세계 최초 방탄 PT, 리더십 PT 사용설명서, 리더 PT 매뉴얼.

#. 책의 가치, 내공, 값어치를 어필하는 다른 예시) 동기부여 사용설명서, 직장인 필독 도서, 리더 필독 도서, 동기부여 지침서, 자기계발 지침서, 동기부여 바이블... 등

⑦번: 바탕 이미지. 리더십 PT를 받으면 리더의 가능성은 무한하다는 것을 어필하기 위한 우주와 별빛이 있는 이미지 디자인.

20,000명 심리 상담, 코칭으로 알게 된 사람들이 바라는 6가지 시스템!

1. 커피숍에서 지인과 대화 중에도 돈이 입금되는 시스템?

2. 자고 있는데 돈을 버는 시스템?

3. 여행 중에도 돈이 입금되는 시스템?

4. 사무실, 직원이 필요 없는 시스템?

5. 건물주처럼 월세가 입금되는 시스템?

6. 집에서 댕댕이와 휴식하고 있는데 돈이 입금되는 시스템?

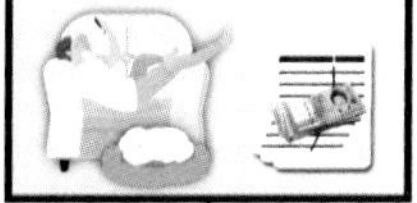

세계 최초! 출판계의 혁신!
돈이 들어오는 6가지 시스템을 가능하게 하는 것이

방탄book기술력!

평균 희망 은퇴 73세, 현실 은퇴 나이 49세!
100세 시대 언제까지 몸(노동)으로만
일해서 돈을 벌 것인가?
세상, 현실 기준에서 스펙, 돈, 인맥, 자산 등이 없어서 100세까지 노동을 해야 되고 몸까지 아프면 더 답이 없는 상황! 젊을 때는 100가지 중 99가지를 할 수 있지만 나이 들면 100가지 중 99가지를 할 수 없다. 3고 시대, AI 시대, 챗GPT 시대에 자신의 직업이 사라 질 수 있는 상황에서 어떻게 준비, 대비할 것인가?
방탄BOOK기술력
선택이 아닌 필수!
세계 최초
방탄
BOOK
기술력
Google 자기계발아마존
YouTube 방탄자기계발
NAVER 방탄BOOK
NAVER 최보규

대한민국 99%가 책 쓰기, 출간하는 방법만
교육, 코칭 한다!
6가지 수입 창출 책 쓰기, 출간 기술력을
교육, 코칭 하는 곳은 **방탄book뿐이다.**

방법만 배우면 돈이 계속 나가지만
방탄book기술력을 배우면
돈은 계속 들어온다.

종이책 표지 디자인 설명

②
★★★★★
세계 최초
나다운
① 방탄습관블록
④
⑥
최보규 지음
BOOKK
지금까지 알고 있는 습관 공식은 잊어라!
당신이 그토록 찾고 있던 습관 공식!
세상 모든 것이 변해도 ③
나다운 방탄습관블록은 변하지 않는다.
습관 아인슈타인!
★★★★★
"최초"
습관 바이블
⑤
⑦

4) 《나다운 방탄습관블록》 책 표지 디자인 설명

#. 좌, 우, 위, 아래 기본 픽셀(PX) 사이즈는 1표지 제작과 동일하기에 1표지 설명을 참고. 빠른 설명을 위해 표지 콘셉트 설명만 하겠다.

①번: 책 제목. 《나다운 방탄습관블록》 책은 필자가 어떤 사람인지, 앞으로 어떻게 살아갈지 알게 해주는 책이다. 보통 사람들의 자서전과 차원이 다른 책이다. 《나다운 방탄습관블록》 책 구성이 몸 습관블록 쌓기, 머리 습관블록 쌓기, 마음 습관블록 쌓기로 되어 있다.

습관의 본질과 381가지 몸, 머리, 마음 습관을 만들면서 깨달은 것이 있다. 습관을 만드는 것보다 중요한 것이 가지고 있는 좋은 습관들을 지키는 것이 시작이 되어야만 좋은 습관들을 레고 블록처럼 쌓을 수 있다는 것을 알았다.

이런 깨달음으로 습관 책을 집필하면서 처음에는 책 제목을 나다운 습관으로 만들었다. 최보규 방탄book 코칭 전문가의 첫 번째 멘토인 우주에서 가장 사랑하는 아내와 습관 책에 대해서 대화를 하는 중에 아내가 하는 말이 "습관을 보호하는 게 먼저면 방탄 케이스가 스마트폰을 보호해 주듯 방탄 습관이 되어야겠네? 제목을 나다운 방탄습관블록이 어울릴 거 같은데?"라는 말에 순간 피카츄 300만 볼트 전기가 머리를 스쳤다. 45년간 381가지 습관을 통해 습관의 본질과 몸 습관블록 쌓기, 머리 습관블록 쌓기, 마음 습관블록 쌓기를 한 문장으로 압축해서 말할 수 있게 해주는 것이《나다운 방탄습관블록》책 제목이었다.

그때를 회상하면 장기, 바둑을 둘 때 훈수하는 사람(훈수도 내공이 있어야 한다)이 더 잘 두듯 옆에서 조언해주는 사람의 힘이 얼마나 대단한지를 새삼 느꼈던 상황이었다. 책 쓰기, 책 출간에 직접적으로 눈을 뜨게 한 책이《나다운 방탄습관블록》책 출간이었다.《나다운 방탄습관블록》책으로 인해 종이책 150권, 전자책 250권 총 400권 출간할 수 있었다고 감히 말하고 싶다.

②번: 책 제목 디자인. 세계 최초라고 하면 사람들이 물어 본다. "진짜 세계 최초로 만든 거 맞냐고? 그걸 어떻게 알 수 있냐고? 세계 최초를 너무 남발하는 거 아니냐고?" 왜 자신 있게 세계 최초라고 말을 하는지 아는가? 세계 최초인지 아닌지 어떻게 알 수 있을까? 검색을 해서 알 수 있을까? 아니다.
세계 인구 80억 명이다. 사람의 지문이 같은 사람이 없듯이 나다움 또한 같은 사람이 없다는 것이다. 한마디로

나답게 만들면 세계 최초가 되는 것이고 세계에서 똑같은 것이 나올 수가 없다는 것이다.

백 번, 천 번 양보해서 설령 책 제목이 똑같은 게 있을 수 있지만 책 내용은 나답게, 최보규답게 집필했기 때문에 세계 최초가 되는 것이고 우주에서 유일한 것이 되는 것이다. 이제 이해가 되는가? 그래서 제목을 뒷받침 해주는 '세계 최초'라는 디자인을 한 것이다.

③번: 책 핵심 문구. 책 핵심 디자인도 있지만 책 핵심 문구도 있다. 이미지를 부연 설명해 주는 것이 텍스트다. 이미지를 극대화해 주는 것이 핵심 문구다. 뻔하고 식상한 핵심 문구가 아니라 "우와! 이건 뭐지? 처음 듣는 말인데... 기존에 알고 있는 내용에서 볼 수 없는 문구인데... 보고 싶게 만드는 문구다."라는 책 핵심 디자인으로 부족했던 2%를 핵심 문구로 100%를 채워야 한다. 다음으로 나오는 2% 부족한 문구, 100%를 채워주는 문구의 비교 이미지를 보자.

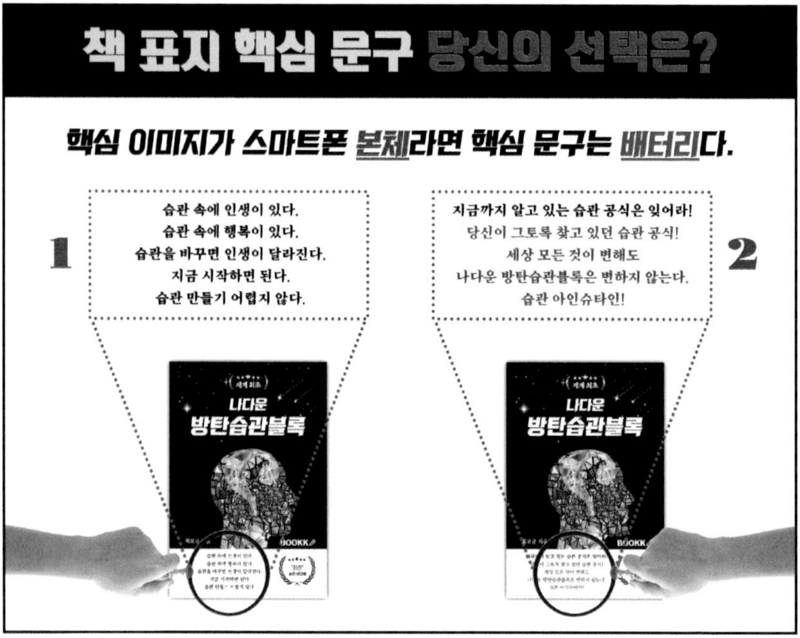
책 표지 핵심 문구 당신의 선택은?
핵심 이미지가 스마트폰 본체라면 핵심 문구는 배터리다.
1
습관 속에 인생이 있다.
습관 속에 행복이 있다.
습관을 바꾸면 인생이 달라진다.
지금 시작하면 된다.
습관 만들기 어렵지 않다.
2
지금까지 알고 있는 습관 공식은 잊어라!
당신이 그토록 찾고 있던 습관 공식!
세상 모든 것이 변해도
나다운 방탄습관블록은 변하지 않는다.
습관 아인슈타인!
세계 최초
나다운
방탄습관블록
BOOKK
세계 최초
나다운
방탄습관블록
BOOKK

대한민국 99%가 책 쓰기, 출간하는 방법만
교육, 코칭 한다!
6가지 수입 창출 책 쓰기, 출간 기술력을
교육, 코칭 하는 곳은 방탄book뿐이다.

방법만 배우면 평생
몸을 움직여서 돈을 벌어야 하지만
방탄book기술력을 배우면 움직이지
않아도 돈을 벌수 있는 자동 시스템을 만든다.

종이책 표지 디자인 설명

②
세계 최초
나다운
① 방탄습관블록
④
⑥
최보규 지음
BOOKK
지금까지 알고 있는 습관 공식은 잊어라!
당신이 그토록 찾고 있던 습관 공식!
세상 모든 것이 변해도 ③
나다운 방탄습관블록은 변하지 않는다.
습관 아인슈타인!
"최초"
습관 바이블
⑤
⑦

④번: 책 표지 핵심 이미지. 《나다운 방탄습관블록》책 본질인 "만들었던 좋은 습관을 보호하고 앞으로 만들고 싶은 습관을 만들었을 때 외부로부터 만든 습관을 보호할 수 있어야 한다."라고 했다. 보호하고 방어할 수 있는 단단함을 어필할 수 있는 콘셉트로 디자인을 하고 싶었다.

사람의 보는 것은 뇌에서 시작하기에 머리(뇌)를 단단하게 표현 할 수 있고 단단함의 상징인 화려한 다이아몬드를 연상하게 하는 이미지 디자인을 선택했다. 그리고 이미지에 물음표가 있다. 물음표의 의미는 나다운 습관을 만들어 가기 위해서 끊임없이 의문점을 가지고 학습, 연습, 훈련을 해야 한다는 의미다.

⑤번: 책 타이틀. bible뜻은 어떤 분야에서 지침이 될 만큼 권위가 있는 책이라는 의미다. 습관분야 베스트셀러, 45년 간 습관 381가지 만듦, 20,000명 심리 상담, 코칭 경력, 2,000권 독서, 책 종이책 150권, 전자책 250권 총 400권 출간 경력으로 만들었기에 습관 바이블이라고 디자인 했다.
⑥번: 바탕 이미지. 자신은, 나다움은 우주에 한명 뿐이라는 의미로 디자인 했다.
⑦번: 바탕 경계 이미지. 책 핵심 문구를 어필하기 위한 경계 이미지로 디자인 했다.

종이책 표지 디자인 설명

방탄리더
1
①
②
우리 리더는
제가 좋은 사람이
되고 싶도록 만들어요!
세계 최초
방탄리더
동기부여
③
④
⑤
동기부여
최보규 방탄동기부여 전문가
BOOKK

5) 《방탄 리더 동기부여 1》 책 표지 디자인 설명

#. 좌, 우, 위, 아래 기본 픽셀(PX) 사이즈는 1표지 제작과 동일하기에 1표지 설명을 참고. 빠른 설명을 위해 표지 콘셉트 설명만 하겠다.

①번: 책 제목. 일반 사람에게도 동기부여가 필요하지만 리더에게는 일반 사람들과 다른 동기부여가 필요하다. 리더 자신이 동기부여를 하지 못하는데 자신을 따르는 사람을 어떻게 동기부여를 시키겠는가? 지금 시대는 위치가 사람을 만드는 것보다 위치가 사람을 망치는 경우가 더 많다. "옷걸이가 걸쳐지는 옷들이 자신인 마냥 착각하는 리더"라는 태도로 리더 위치에서 주어진 타이틀, 벼슬, 권력이 영원할 것이라는 착각 속에 산다.

리더의 자만심, 권위주의, 꼰대심(리더병)으로 부터 자신의 리더십을 보호을 하기 위한 방향 제시와 세상, 현실, 주위 사람들의 참견으로부터 휩쓸리지 않는 통찰력을 향상시키는 내용이기에 책 제목을 방탄 리더 동기부여로 정했다.

②번: 부제목. "우리 리더는 제가 좋은 사람이 되고 싶도록 만들어요!" 이 말은 리더가 자신을 따르는 사람들 동기부여 시켜주는 가장 강력한 동기부여다. "우리 리더

는 제가 좋은 사람이 되고 싶도록 만들어요!" 이 말을 듣기 위한 리더 동기부여 책이다.

"우리 리더는 제가 좋은 사람이 되고 싶도록 만들어요!" 이 말속에 담겨 있는 의미가 많다. 10,000개 중에 10개만 알려주겠다.

1. "들어라 말하지 않아도 듣게 한다."
2. "따르라 말하지 않아도 따르게 한다."
3. "믿어라 말하지 않아도 믿게 한다."
4. "해라가 아니라 함께 하자"
5. "우리 리더와 100년 함께 하고 싶다."
6. "리더에게 도움이 되는 사람이 되기 위해 성장해야겠다."
7. "우리 리더는 삼성(진정성, 전문성, 신뢰성)이 있다."
9. "나 자신은 못 믿겠는데 나를 믿어주는 리더가 있어서 자신감이 생긴다. 리더와 함께라면 나도 성공할 수 있을 거 같다."
10. "나도 누군가에 '우리 리더는 제가 좋은 사람이 되고 싶도록 만들어요.'라는 듣기 위해 내 위치에서 최선을 다해야겠다."

③번: 책 표지 핵심 이미지. 계단은 계기, 동기부여, 멘토를 의미한다. 계기가 있어야 인생 한 단계 도약하고

동기부여가 되어야 한 단계 변화하며 멘토로 인해서 한 단계 성장한다. 여기에서 가장 중요한 것은 멘토다. 멘토는 비대면 멘토, 대면 멘토로 나누어진다. 비대면 멘토는 책, 동기부여 영상이 있고 대면 대면 멘토는 강사, 교육자, 코칭 전문가가 있다. 책 표지 이미지에서 계단을 오르는 사람은 목표, 꿈을 이루기 위해서는 멘토에게 동기부여를 받아야만 한 계단씩 오를 수 있다는 의미이다. 계단 정상에 또 다른 이미지에 계단 시작은 멘토에게 동기부여로 인해 꿈, 목표를 이룬 뒤 또 다른 계단(성공한 인생)을 오르기 위한 동기부여를 해야 된다는 의미다. 꿈, 목표를 이루었다고 끝이 아니라는 의미며 멘토의 동기부여를 어떻게 받느냐에 따라서 인생이 달라진다는 책 표지 핵심 이미지에 의미다.

멘토의 동기부여를 받지 못하면 삶의 신호와 소음 구분이 힘들어진다. 신호는 자신에게 배움, 변화, 성장에 도움이 되는 것이고 소음은 자신 배움, 변화, 성장을 방해한다. 인생을 살면서 가장 큰 신호, 소음을 주는 것이 사람이다. 신호를 주는 사람, 소음을 주는 사람이 있다.

방탄 리더 동기부여가 인생의 신호를 주는 사람, 소음을 주는 사람을 구분하게 해준다.

④번: 책 타이틀. 방탄 리더 동기부여는 대한민국 최초, 세계 최초이다.

⑤번: 바탕 이미지. 검은색 바탕에 진한 핑크색 점으로 이루어진 디자인은 모든 것들은 작은 점에서 시작한다는 의미다. 앞이 깜깜한 인생에서 사소한 동기부여가 누적이 되어 인생을 밝게 한다는 의미다.

대한민국 99%가 책 쓰기, 출간하는 방법만
교육, 코칭 한다!
6가지 수입 창출 책 쓰기, 출간 기술력을
교육, 코칭 하는 곳은 **방탄book뿐이다.**

방법만 배우면 돈이 계속 나가지만
방탄book기술력을 배우면
돈은 계속 들어온다.

3D 입체 표지 디자인

Google 자기계발아마존

YouTube 방탄자기계발

NAVER 행복히어로

NAVER 최보규

3D 입체 표지 디자인

Google 자기계발아마존

YouTube 방탄자기계발

NAVER 방탄자존감명언

NAVER 최보규

3D 입체 표지 디자인

Google 자기계발아마존

YouTube 방탄자기계발

NAVER 방탄자존감명언

NAVER 최보규

3D 입체 표지 디자인

Google 자기계발아마존

YouTube 방탄자기계발

NAVER 나다운강사1

NAVER 최보규

3D 입체 표지 디자인

Google 자기계발아마존

YouTube 방탄자기계발

NAVER 나다운강사2

NAVER 최보규

3D 입체 표지 디자인

Google 자기계발아마존

YouTube 방탄자기계발

NAVER 나다운방탄카피

NAVER 최보규

3D 입체 표지 디자인

Google 자기계발아마존

YouTube 방탄자기계발

NAVER 자기계발코칭전문가

NAVER 최보규

3D 입체 표지 디자인

Google 자기계발아마존

YouTube 방탄자기계발

NAVER 나다운방탄리더십

NAVER 최보규

3D 입체 표지 디자인
Google 자기계발아마존
YouTube 방탄자기계발
세계 최초
나다운
방탄습관블록
나다운 방탄습관블록
최보규 지음
BOOKK
지금까지 알고 있는 습관 공식은 잊어라!
당신이 그토록 찾고 있던 습관 공식!
세상 모든 것이 변해도
나다운 방탄습관블록은 변하지 않는다.
습관 아인슈타인!
"최초"
습관 바이블
NAVER 방탄습관블록
NAVER 최보규

3D 입체 표지 디자인

Google 자기계발아마존

YouTube 방탄자기계발

NAVER 방탄리더십

NAVER 최보규

3D 입체 표지 디자인

Google 자기계발아마존

YouTube 방탄자기계발

NAVER 방탄리더스피치

NAVER 최보규

3D 입체 표지 디자인

Google 자기계발아마존

YouTube 방탄자기계발

NAVER 나튜브

NAVER 최보규

3D 입체 표지 디자인
Google 자기계발아마존
YouTube 방탄자기계발
방탄 리더 재테크 1
자고 있는데 돈을 버는 재테크!
여행 중에도 돈이 입금 되는 재테크!
사무실, 직원이 필요 없는 재테크!
언제까지
몸 으로만
일 할 것인가?
최보규 방탄리더재테크 전문가
BOOKK
NAVER 방탄리더재테크
NAVER 최보규

3D 입체 표지 디자인

Google 자기계발아마존

YouTube 방탄자기계발

NAVER 방탄리더책쓰기

NAVER 최보규

3D 입체 표지 디자인

Google 자기계발아마존

YouTube 방탄자기계발

NAVER 리더의무교육1

NAVER 최보규

3D 입체 표지 디자인

Google 자기계발아마존

YouTube 방탄자기계발

NAVER 방탄리더감정컨트롤

NAVER 최보규

3D 입체 표지 디자인

Google 자기계발아마존

YouTube 방탄자기계발

NAVER 방탄리더의무교육

NAVER 최보규

3D 입체 표지 디자인

Google 자기계발아마존

YouTube 방탄자기계발

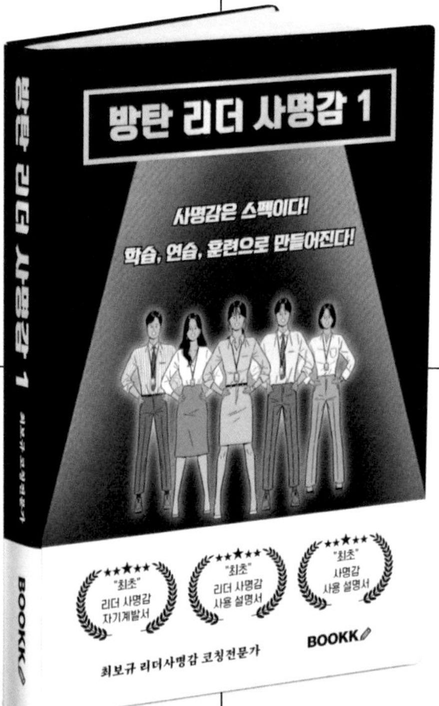

NAVER 방탄리더사명감

NAVER 최보규

3D 입체 표지 디자인

Google 자기계발아마존

YouTube 방탄자기계발

NAVER 방탄리더기본기

NAVER 최보규

3D 입체 표지 디자인

Google 자기계발아마존

YouTube 방탄자기계발

NAVER 방탄리더인재양성

NAVER 최보규

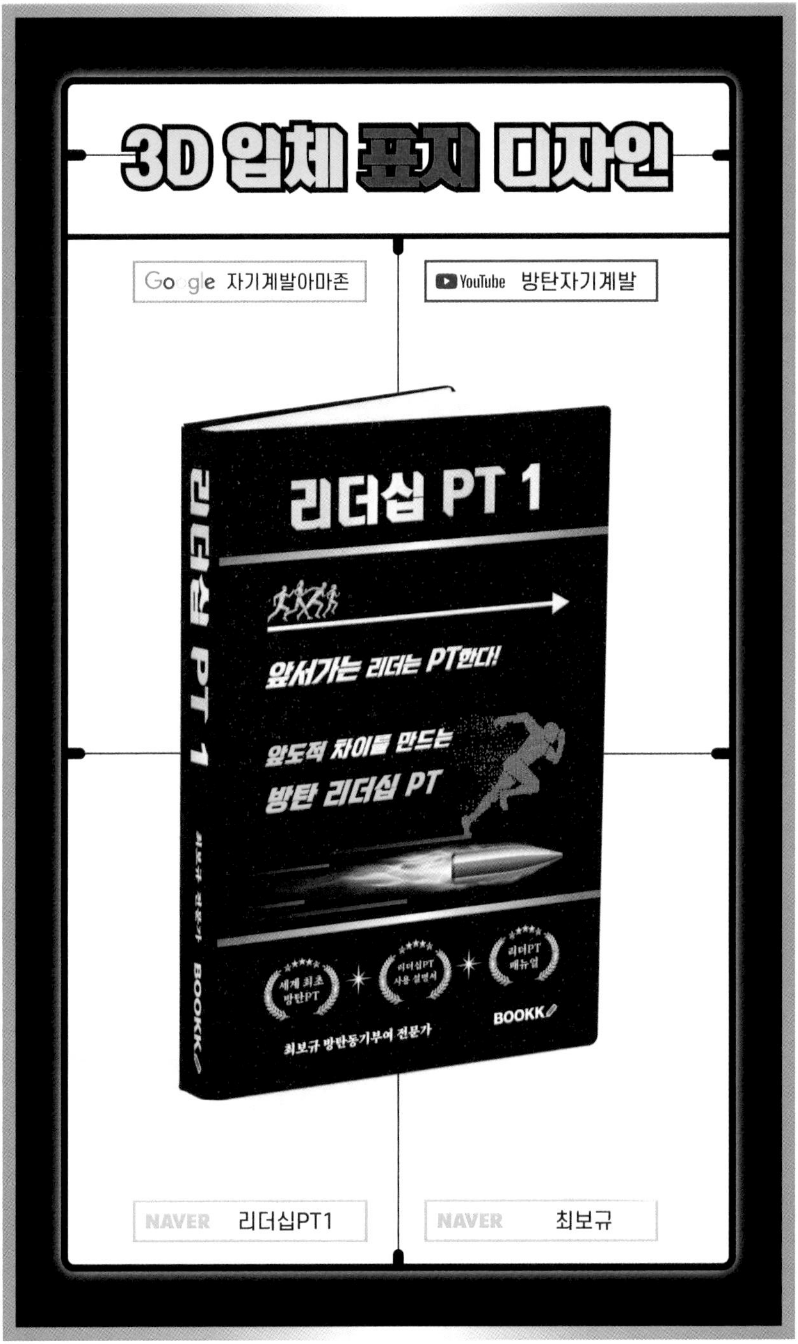

3D 입체 표지 디자인
Google 자기계발아마존
YouTube 방탄자기계발
리더십 PT 1
앞서가는 리더는 PT한다!
압도적 차이를 만드는
방탄 리더십 PT
세계 최초 방탄PT
리더십PT 사용설명서
리더PT 매뉴얼
최보규 방탄동기부여 전문가
BOOKK
NAVER 리더십PT1
NAVER 최보규

3D 입체 표지 디자인

Google 자기계발아마존

YouTube 방탄자기계발

NAVER 리더십식스펙1

NAVER 최보규

3D 입체 표지 디자인
Google 자기계발아마존
YouTube 방탄자기계발
방탄 리더 스토리텔링 1
(Story Doing 동기부여)
스토리텔링을 통해 스토리두잉을 하지 않으면
스토리는 다 쓰레기 된다!
BOOKK
최보규 방탄동기부여 전문가
NAVER 방탄리더스토리텔링
NAVER 최보규

3D 입체 표지 디자인
Google 자기계발아마존
YouTube 방탄자기계발
방탄 리더 태도
방탄
리더
1
태도
세상에서 가장 강력한 태도 스펙!
"최초" 리더 태도 자기계발서
"최초" 리더 태도 사용 설명서
"최초" 태도 사용 설명서
최보규 리더사명감 코칭전문가
BOOKK
NAVER 방탄리더태도
NAVER 최보규

3D 입체 표지 디자인

Google 자기계발아마존

YouTube 방탄자기계발

NAVER 리더의방탄인간관계

NAVER 최보규

3D 입체 표지 디자인

Google 자기계발아마존

YouTube 방탄자기계발

NAVER 방탄자기계발사간학교

NAVER 최보규

3D 입체 표지 디자인

Google 자기계발아마존

YouTube 방탄자기계발

NAVER 리더의방탄소통

NAVER 최보규

3D 입체 표지 디자인

Google 자기계발아마존

YouTube 방탄자기계발

NAVER 1조리더십강의

NAVER 최보규

3D 입체 표지 디자인
Google 자기계발아마존
YouTube 방탄자기계발
300만원 동기부여 강의
동기부여
UP
스마트폰은 사용하지 않아도 배터리가 소모되듯
동기부여 또한 숨만 쉬어도 소모가 된다.
"세계 최초" 동기부여 초고속 충전!
동기부여 일타강사
강사야 대표 강사
특허청 등록
최보규 동기부여 일타강사
BOOKK
NAVER 300만원동기부여강의
NAVER 최보규

3D 입체 표지 디자인

Google 자기계발아마존

YouTube 방탄자기계발

NAVER 자존감히어로

NAVER 최보규

3D 입체 표지 디자인

Google 자기계발아마존

YouTube 방탄자기계발

NAVER PPT로책출간

NAVER 최보규

3D 입체 표지 디자인

Google 자기계발아마존

YouTube 방탄자기계발

NAVER 책으로PPT만들기

NAVER 최보규

3D 입체 표지 디자인

Google 자기계발아마존

YouTube 방탄자기계발

NAVER 방탄강사1

NAVER 최보규

3D 입체 표지 디자인

Google 자기계발아마존

YouTube 방탄자기계발

NAVER 최보규의책쓰기9G

NAVER 최보규

3D 입체 표지 디자인

Google 자기계발아마존

YouTube 방탄자기계발

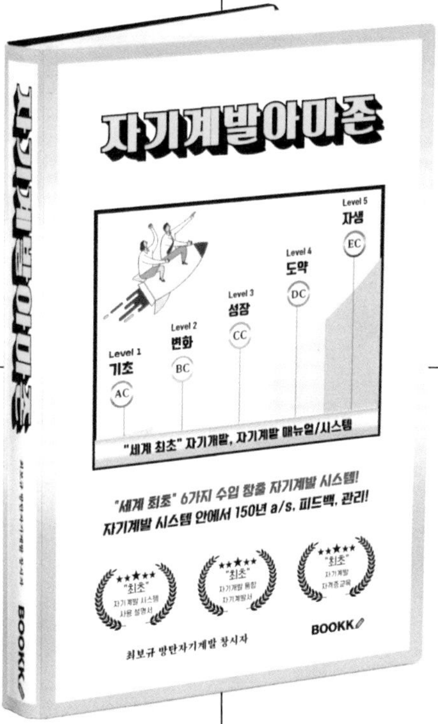

NAVER 자기계발아마존

NAVER 최보규

3D 입체 표지 디자인

Google 자기계발아마존

YouTube 방탄자기계발

NAVER 방탄동기부여초고속충전

NAVER 최보규

3D 입체 표지 디자인

Google 자기계발아마존

YouTube 방탄자기계발

NAVER 방탄리더사관학교

NAVER 최보규

종이책 150권, 전자책 250권 총 400권 출간 출간했던 3D 입체 표지 샘플을 보면서 어떤 생각이 들었는가?

20,000명 심리 상담, 코칭 하면서 쌓인 내공과 종이책 150권, 전자책 250권 총 400권 출간 했던 내공으로 당신이 지금 어떤 생각이 들었고 어떤 궁금증이 생기는지 맞혀 보겠다.

"표지 앞면 디자인과 3D 입체 표지 디자인 차이가 많이 난다. 3D 입체 표지가 진짜 책처럼 생동감이 느껴진다. 그런데 인터넷 서점에서 검색을 해보면 3D 입체 표지가 아니라 2D 표지 앞면만 나오던데? 가끔씩 책 상세 설명에 나오는 것을 종종 본거 같은데... 주로 3D 입체 표지 어디에 쓰는 거지? 진짜 마우(마우스만 움직일 줄 아는 우주 초보)실력으로 포토샵에서 가능한 3D 입체 표지 디자인을 할 수 있다고? 믿어지지 않는데? 마우(마우스만 움직일 줄 아는 우주초보)실력으로 만들 수 있다면 제대로 배워 보고 싶다."

3D 입체 표지는 책 마케팅을 할 때 필요하다. 책 앞면 표지 디자인만 했을 때 홍보 이미지와 3D 입체 표지 디자인했을 때 홍보 이미지 차이는 많이 난다. 2D와 3D 차이라고 보면 된다.

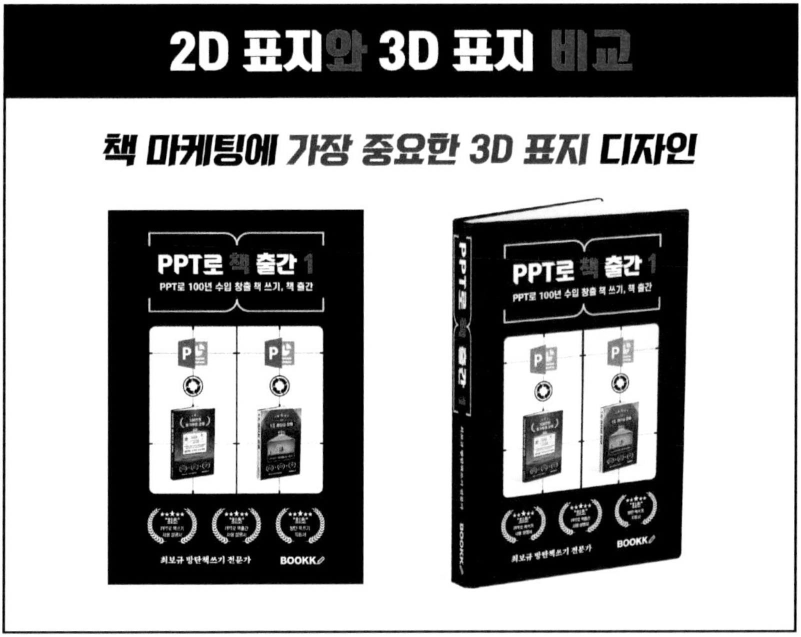

인생은 어떤 사람(멘토)을 만나느냐에 따라 달라지고 자신 분야 전문성은 어떤 도구를 활용하느냐에 따라 달라진다.

단언컨대 마우(마우스만 움직일 줄 아는 우주 초보) 실력으로 책 표지를 만들 수 있다면 3D 입체 표지도 도구(프로그램)를 활용해 만들 수 있다. 3D 입체 표지 디자인 만드는 방법 시작한다. 집중!

1) 3D 입체 표지 디자인 만드는 방법

① 무료 목업 사이트 https://diybookcovers.com/

만들어 놓은 표지(1540px * 2160px)를 사용 하면 된다. diybookcovers 사이트 홈페이지에 들어가서 메인화면 중간쯤에 무료 3D 도서 모형 만드는 버튼이 있다.

총 3단계로 이루어져 있다.
1단계는 3D모형을 선택.
2단계는 표지 이미지 선택.
3단계는 무료 모형 다운로드.
누구나 쉽게 할 수 있는 순서이니 특별한 설명이 필요가 없다. 그럼에도 불구하고 힘들다면 네이버에서 3D 입체 표지 만들기 검색하면 설명을 해놓은 블로그들이 많다.

② 유료 목업 사이트 플레이스잇 https://placeit.net/

필자는 플레이스잇 프로그램을 활용하고 있다. 3D 입체 표지 디자인도 많고 표지 활용할 수 있는 플랫폼(책 표지 동영상 제작)도 많다. 유료를 써야 되는 이유는 무료면 많은 사람들이 쓰기에 경쟁력이 떨어진다. 그래서 제대로 할 거라면 유료를 쓰고 대충 하거나 책으로 돈을 벌 생각이 아니라면 무료를 쓰면 된다.

유료 3D 입체 표지 디자인

유료 3D 입체 표지 디자인

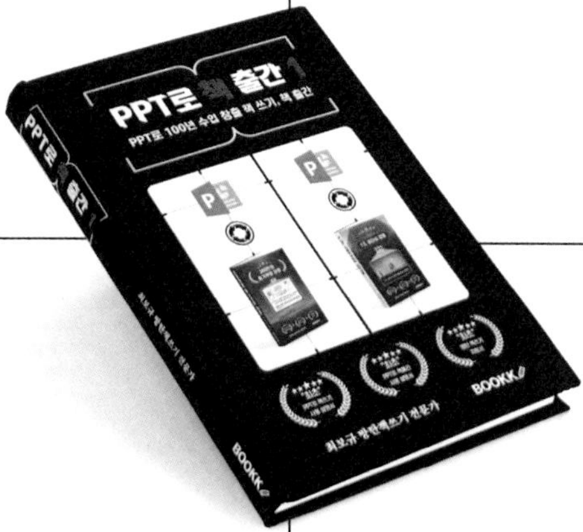

유료 3D 입체 표지 디자인

유료 3D 입체 표지 디자인

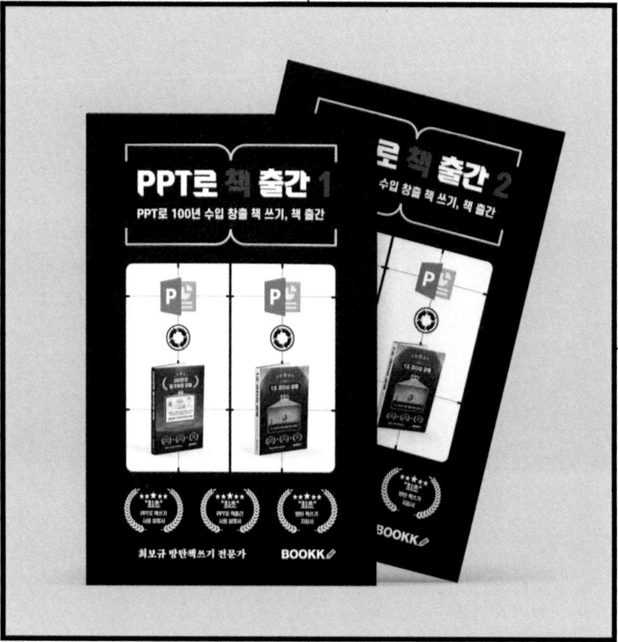

유료 3D 입체 표지 디자인

유료 3D 입체 표지 디자인

대한민국 99%가 책 쓰기, 출간하는 방법만
교육, 코칭 한다!
6가지 수입 창출 책 쓰기, 출간 기술력을
교육, 코칭 하는 곳은 **방탄book뿐이다.**

방법을 알면 1권 출간하고 끝이지만
방탄book기술력을 알면
10권, 100권, 1.000권... 도 가능하다.

날개 표지 디자인 샘플

날개 표지 이미지

출간한 책 이미지

날개 표지 디자인 샘플

날개 표지 이미지

⑤ ④ ③ ② ①

날개 표지 사이즈

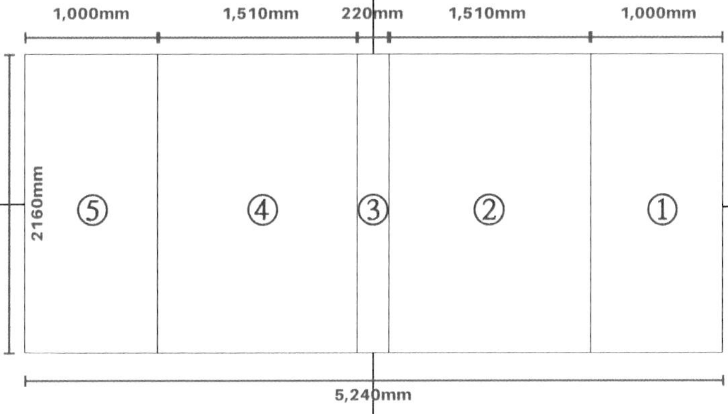

책 앞면 날개 표지

특허청 등록

최보규 자기계발코칭 창시자

★ 등록 번호: 제 40-2072344 호 ★

최보규

방탄자기계발 전문가

유튜브 〈방탄자기계발최보규〉

nice5889@naver.com

★ 80억 분의 1 ONLY ONE 검증된 동기부여 일타강사!
★ 삼성(전문성, 진정성, 신뢰성)이 검증된 코칭 전문가.
★ 출판계 최초! 출판계의 혁신인 6가지 수입 창출 책 쓰기, 출간 기술력을 창시한 사람. [출판계의 스티브 잡스]

★ 20,000명 심리 상담, 코칭을 통해 대한민국 극단적인 선택률, 이혼율을 낮추고 행복률을 올리기 위해 방탄자기계발사관학교를 만든 사람.
www.방탄자기계발사관학교.com

★ 20,000 / 7G / 2,000 / 7,000 / 100 / 50 / 6,000 / 45 / 320 / 15 숫자가 말해주는 사람!
20,000명 심리 상담, 코칭.
7G 직업(출판사 대표, 작가, 심리 상담사, 코칭 전문가, 강사, 유튜버, 한집의 가장)
2,000권 독서. 7,000개 메모. 자기계발서 100권 출간.
100권 출간한 책으로 온라인 콘텐츠, 디지털 콘텐츠 제작하여 50층 온라인 건물주. 강의 6,000회.
45년간 습관 320가지 만듦. 강사 15년 차.

★ 최보규상(대한민국 노벨상)을 만든 사람.
최보규를 알고 있는 사람들에게 나다운 행복을 만들어 주기 위해 올바른 노력을 하는 사람.

책 앞면 표지

300만원
동기부여 강의
UP
동기부여
스마트폰은 사용하지 않아도 배터리가 소모되듯
동기부여 또한 숨만 쉬어도 소모가 된다.
"세계 최초" 동기부여 초고속 충전!
동기부여
일타강사
강사야
대표 강사
특허청
등록
최보규 동기부여 일타강사
BOOKK

책등

책 뒷면 표지

세상에는 3부류에
동기부여를 배우는 사람이 있다!
동포자(동기부여 포기자)
수많은 동기부여 영상, 글... 등을 봤지만 전혀 동기부여가 되지 않아 동기부여를 포기한 사람.
동포 예정자
수많은 동기부여 독서, 자격증, 교육, 코칭을 받지만 그때뿐이고 시간, 돈 낭비만 하는 사람.
방 탄
동기부여
NAVER 방탄동기부여
동케시(동기부여 케어 시스템)
동기부여를 시스템 안에서 동기부여 주치의에게 150년 a/s, 피드백, 관리 받으면서 자신 분야 변화, 성장을 초고속으로 준비 하는 사람.

책 뒷면 날개 표지

1
ONLY ONE
"80억 분의 1 검증된 전문가"
"세계 최초"
동기부여 초고속 충전!
해보자! 해보자!
자신 가능성을 믿고!
해보자!
해보자!
자신의
사과 씨, 도토리, 포도 씨 믿으세요!
사과 씨 안에 얼마나 많은 사과가 있는지 모른다!
도토리 안에 얼마나 많은 도토리가 있는지 모른다!
포도 씨 안에 얼마나 많은 포도가 있는지 모른다!

날개 표지 디자인 샘플

날개 표지 이미지

⑤ ④ ③ ② ①

날개 표지 사이즈

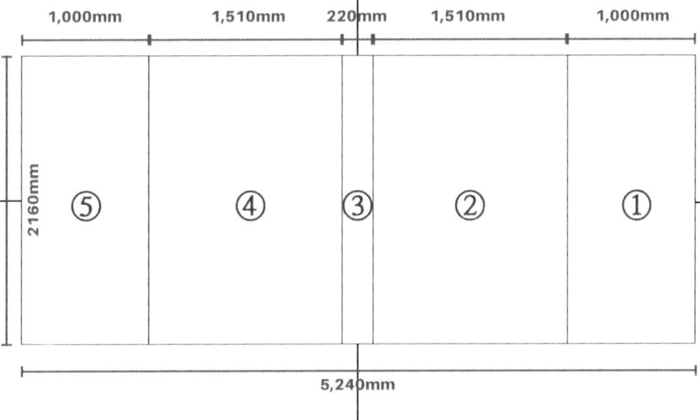

책 앞면 날개 표지 디자인 설명

③ ④ ① ② ⑤

⑫ 특허청 등록

최보규 자기계발코칭 창시자

★ 등록 번호: 제 40-2072344 호 ★

⑥

⑬ 최보규

방탄자기계발 전문가

유튜브 〈방탄자기계발최보규〉

nice5889@naver.com

⑦ ⑧

★ 80억 분의 1 ONLY ONE 검증된 동기부여 일타강사!
★ 삼성(전문성, 진정성, 신뢰성)이 검증된 코칭 전문가.
★ 출판계 최초! 출판계의 혁신인 6가지 수입 창출 책 쓰기, 출간 기술력을 창시한 사람. [출판계의 스티브 잡스]

⑭

★ 20,000명 심리 상담, 코칭을 통해 대한민국 극단적인 선택률, 이혼율을 낮추고 행복률을 올리기 위해 방탄자기계발사관학교를 만든 사람.
www.방탄자기계발사관학교.com

⑩ ⑪

★ 20,000 / 7G / 2,000 / 7,000 / 100 / 50 / 6,000 / 45 / 320 / 15 숫자가 말해주는 사람!
20,000명 심리 상담, 코칭.
7G 직업(출판사 대표, 작가, 심리 상담사, 코칭 전문가, 강사, 유튜버, 한집의 가장)
2,000권 독서. 7,000개 메모. 자기계발서 100권 출간.
100권 출간한 책으로 온라인 콘텐츠, 디지털 콘텐츠 제작하여 50층 온라인 건물주. 강의 6,000회.
45년간 습관 320가지 만듦. 강사 15년 차.

★ 최보규상(대한민국 노벨상)을 만든 사람.
최보규를 알고 있는 사람들에게 나다운 행복을 만들어 주기 위해 올바른 노력을 하는 사람.

⑨

2) 책 앞면 날개 표지 디자인 설명

① 책날개 기본 A5 사이즈 - 세로 216mm

② 책날개 - 가로 100mm

③ 인쇄 할 때 위, 아래 절단선 - 3mm

④ 인쇄 할 때 절단선 - 3mm

⑤ 위에서부터 - 10mm

⑥ 위에서부터 - 44mm

⑦ 위에서부터 - 80mm

⑧ 위에서부터 - 84mm

⑨ 아래에서부터 - 10mm

⑩ 왼쪽에서부터 - 7mm

⑪ 오른쪽에서부터 - 9mm

⑫ 저자, 책이 검증되어 법의 보호를 받고 있다는 것을 증명하는 디자인. (자신이 가지고 있는 타이틀 중에 강력하게 어필할 수 있는 내용이면 좋다.)

⑬ 저자 사진, 이름, 전문 분야 타이틀, 유튜브, 메일... 등. (자신과 직접적으로 소통할 수 있는 타이틀)

⑭ 저자 소개, 책의 가치, 내공, 값어치를 어필할 수 있는 소개 글.

책 앞면 표지 디자인 설명

③
⑫ 300만원
동기부여 강의
⑤
⑧
동기부여
UP
①
②
스마트폰은 사용하지 않아도 배터리가 소모되듯
동기부여 또한 숨만 쉬어도 소모가 된다.
"세계 최초" 동기부여 초고속 충전!
⑮
⑥
⑭
⑨ 동기부여 일타강사
강사야 대표 강사
특허청 등록
⑦
⑩ 최보규 동기부여 일타강사
⑪ BOOKK
④

3) 책 앞면 표지 디자인 설명
- 책 앞면 표지 너비 1540PX * 높이 2160PX
(부크크출판사 A5 규격 148+6(제단 선) * 210+6(제단 선)= 너비 154mm * 높이 216mm)

#. 효율적인 표지 날개, 표지 작업과 전자책(PDF) 표지 작업을 위해 너비, 높이를 픽셀(PX)로 작업했다. 픽셀이 아닌 mm로 작업해도 된다.
#. Pixrl(픽셀): 유튜브 썸네일, 상세페이지, 커뮤니티 게시판 등.
#. mm또는 cm: 명함, 라벨, 액자, 머그컵, 현수막 등.

①번, ②번: 핵심 디자인을 가운데 배치했을 때 좌, 우 여택을 주어 안정적인 시각적 효과를 주기 위한 기본 좌, 우 100PX이다. (디자이너마다 다르니 참고)

③번: 위에서부터 150PX (책의 가장 위쪽과 시작하는 디자인과의 안정적인 시각적 효과를 주기 위한 여유 공간)

④번: 위에서부터 120PX (책의 가장 밑쪽과 저자, 출판사 로고와의 안정적인 시각적 효과를 주기 위한 여유 공간)

⑤번: 위에서부터 520PX (책 제목과 제목의 디자인을 안정적인 시각적 효과를 주기 위한 위치)

⑥번: 밑에서부터 440PX (책의 가치를 어필하기 하고 디자인을 안정적인 시각적 효과를 주기 위한 위치)

⑦번: 밑에서부터 215PX (책의 가치를 어필하기 하고 디자인을 안정적인 시각적 효과를 주기 위한 위치)

⑧번: 핵심 존. 책 표지 디자인에서 주인공이라고 느낄 수 있게 디자인을 해줘야 하는 곳이다. 《300만원 동기부여 강의》 책 제목에서 가장 중요한 콘셉트 디자인이 무엇일 거 같은가? '300만 원? 동기부여? 강의?' 이 3가지를 다 어필할 수 있는 디자인이면 좋다. 그 중에서도 핵심 디자인 콘셉트는 강의다.

강의 콘셉트를 상징하고 어필할 수 있는 빔 프로젝터와 스크린을 활용하여 책을 볼 수 있는 궁금증 유발, 호기심 유발을 할 수 있는 핵심 디자인과 핵심 문구를 만들어야 한다. "기존에 알고 있는 동기부여 책과 차원이 다를 거 같다. 무조건 책 읽어 봐야겠다."라는 느낌이 들 수 있는 핵심 디자인을 해야 한다.

《300만원 동기부여 강의》 이 책에 모든 것이 압축되어 알 수 있는 곳이고 주인공이기에 가장 신경을 써야 한다.

#. 화장으로 비유를 하면 외출할 때 하는 가벼운 화장기법이 아닌 웨딩 촬영할 때 화장하는 풀메이크업을 해야 된다.

⑨번: 책의 가치, 내공, 값어치를 어필하기 위한 디자인이다. 《300만원 동기부여 강의》 책의 가치, 내공, 값어치가 간접적으로 어필이 되어야 한다. 직접적으로 어필은 책 소개에서 하면 된다.

#. 책의 가치, 내공, 값어치를 어필하는 다른 예시를 참고하자. 동기부여 사용설명서, 직장인 필독 도서, 리더 필독 도서, 동기부여 지침서, 자기계발 지침서, 동기부여 바이블... 등

종이책 표지 디자인 설명

③ 150PX
⑫ 300만원
동기부여 강의
⑤ 560PX
⑧
동기부여
UP
① 100PX
② 100PX
스마트폰은 사용하지 않아도 배터리가 소모되듯
동기부여 또한 숨만 쉬어도 소모가 된다.
"세계 최초" 동기부여 초고속 충전!
⑥ 440PX
⑭
⑨ 동기부여 일타강사
강사야 대표 강사
특허청 등록
⑦ 215PX
⑩ 최보규 동기부여 일타강사
⑪ BOOKK
④ 120PX

⑩번: 저자 이름. 저자 이름 보다 저자가 어떤 전문가 인지를 알리는 명칭을 쓰면 더 효과적이다.

⑪번: 출판사 로고. 부크크 홈페이지에서 '자주 묻는 질문' 으로 들어가면 도서를 클릭하면 로고 파일 다운로드가 있다.

⑫번: 책 제목. ⑧번 핵심 존 디자인 좌우 사이즈를 경계로 제목을 디자인한다. 핵심 존 디자인 다음으로 잘 보여야 할 것이 제목 디자인이다. 제목이 주인공일 거 같지만 표지 전체적인 디자인에서 핵심 디자인 어필이 되어야만 제목이 가지고 있는 뜻의 의미가 극대화 된다. (핵심 존 좌우 간격 260PX, 디자인마다 가격이 다를 수 있다.)

한번 생각해 보자. 제목이 화려한데 핵심 디자인이 제목을 받쳐주지 못하면 책 제목의 화려함은 장점이 아닌 단점이 되어 버린다. 지금 시대 평균적인 사람들의 시각적인 심리를 잘 읽어야 한다. 하루가 멀다 하고 대중매체, 유튜브, 인스타그램, SNS 등으로 인해서 어마어마하게 화려한 영상, 이미지를 보고 있다. 수준이 높아진 시각적인 심리 상황에서 일단 디자인이 화려하지 않으면 어필이 되지 않는다는 것이다. 다음으로 나오는 《300만원 동기부여 강의》 책 표지의 화려하지 않는 책 표지 버전과 화려한 책 표지 버전 비교한 것을 보면 좀 더 이해가 될 것이다.

표지 비교

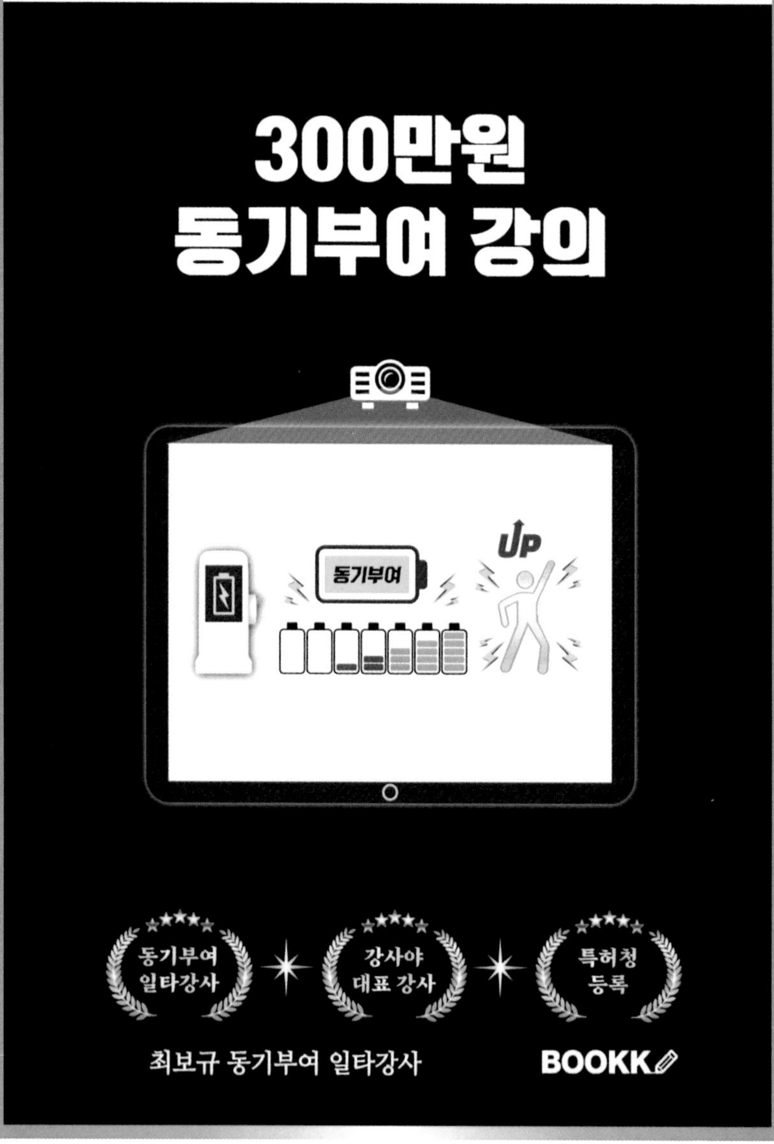
300만원
동기부여 강의
동기부여
UP
동기부여 일타강사
강사야 대표 강사
특허청 등록
최보규 동기부여 일타강사
BOOKK

표지 비교

300만원
동기부여 강의
동기부여
UP
스마트폰은 사용하지 않아도 배터리가 소모되듯
동기부여 또한 숨만 쉬어도 소모가 된다.
"세계 최초" 동기부여 초고속 충전!
동기부여 일타강사
강사야 대표 강사
특허청 등록
최보규 동기부여 일타강사
BOOKK

종이책 표지 디자인 설명
③ 150PX
⑫ 300만원
동기부여 강의
⑤ 560PX
⑧
동기부여
UP
① 100PX
② 100PX
스마트폰은 사용하지 않아도 배터리가 소모되듯
동기부여 또한 숨만 쉬어도 소모가 된다.
"세계 최초" 동기부여 초고속 충전!
⑥ 440PX
⑭
⑨ 동기부여 일타강사
강사야 대표 강사
특허청 등록
⑦ 215PX
⑩ 최보규 동기부여 일타강사
⑪ BOOKK
④ 120PX

⑬번: 배경 이미지. 《300만원 동기부여 강의》 책은 강사가 강의하는 콘셉트이기에 강단을 화려하면서도 은은한 무대 사진으로 디자인했다. 배경 이미지가 화려해버리면 주인공이 죽는다. 배경 이미지는 제목 다음으로 조연배우다.

⑭번: 바탕색. 배경 이미지와 어우릴 수 있는 검정색으로 했다.

책등 표지 디자인 설명

4) 책등 표지 디자인 설명

① 책등 가로 사이즈는 책 페이지에 따라 다르다.
부크크출판사 종이책 만들기 1단계에 있는 도서 형태에서 장수를 입력하면 두께가 자동으로 설정된다.
예)100P = 7.8mm
《300만원 동기부여 강의》 책은 354P다.
354P = 21.07mm / 22mm로 한다.
#. 예시) 23.13mm 이면 소수점 뒷자리는 올림으로 24mm 로 디자인.
초고 → 원고 → 퇴고 → 탈고가 끝나면 최종 책 페이지가 나온다. 페이지 숫자를 입력하면 자동으로 책 두께가 계산 되어서 알 수 있다.

책등 표지 디자인 설명

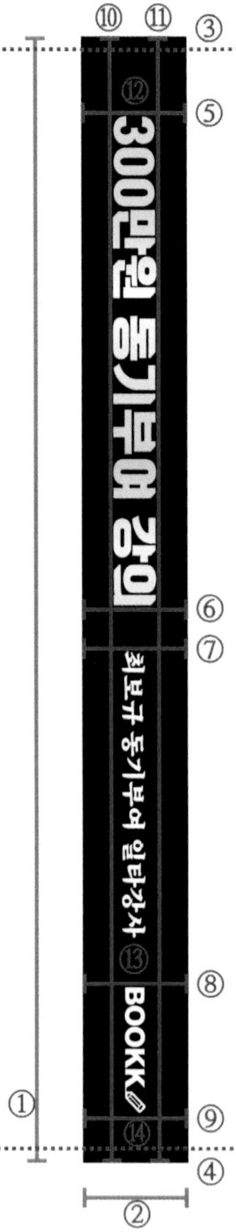

② 책 등 A5 사이즈 - 세로 216mm
③ 인쇄할 때 위 절단선 - 3mm
④ 인쇄할 때 아래 절단선 - 3mm
⑤ 위에서부터 - 14mm
⑥ 위에서부터 - 107mm
⑦ 아래에서부터 - 100mm
⑧ 아래에서부터 - 34mm
⑨ 아래에서부터 - 10mm
⑩ 왼쪽에서부터 - 7mm
⑪ 오른쪽에서부터 - 7mm
⑫ 제목
⑬ 저자
⑭ 출판사 로고

책 뒷면 표지 디자인 설명

③
⑬ 세상에는 3부류에
동기부여를 배우는 사람이 있다!
④
⑫ ⑪
⑤
⑭ 동포자(동기부여 포기자)
수많은 동기부여 영상, 글... 등을 봤지만 전혀 동기부여가 되지 않아 동기부여를 포기한 사람.
⑥
① ②
⑦
⑮ 동포 예정자
수많은 동기부여 독서, 자격증, 교육, 코칭을 받지만 그때뿐이고 시간, 돈 낭비만 하는 사람.
⑧
⑨
방 탄
동기부여
NAVER 방탄동기부여
⑯
동케시(동기부여 케어 시스템)
동기부여를 시스템 안에서 동기부여 주치의에게 150년 a/s, 피드백, 관리 받으면서 자신 분야 변화, 성장을 초고속으로 준비 하는 사람.
⑩

5) 책 뒷면 표지 디자인 설명

- 부크크출판사 A5 규격 너비 154mm * 높이 216mm 위, 아래 점선은 인쇄할 때 제단 선이다.

①번, ②번: 핵심 디자인을 가운데 배치했을 때 좌, 우 여택을 주어 안정적인 시각적 효과를 주기 위한 기본 좌, 우 18mm이다. (디자이너마다 다르니 참고)

③ 위에서부터 - 15mm

④ 위에서부터 - 52mm

⑤ 위에서부터 - 66mm

⑥ 위에서부터 - 101mm

⑦ 아래에서부터 - 100mm

⑧ 아래에서부터 - 65mm

⑨ 아래에서부터 - 50mm

⑩ 아래에서부터 - 15mm

⑪ 왼쪽에서부터 - 50mm

⑫ 왼쪽에서부터 - 53mm

⑬ 뒷면 표지의 핵심 문구 - 세상에는 3부류에 동기부여를 배우는 사람이 있다. (20,000명 심리 상담, 코칭하면서 알게 된 데이터)

⑭ 뒷면 표지의 핵심 문구 동포자 설명 - 동포자(동기부여 포기자): 수많은 동기부여 영상, 글... 등을 봤지만 전혀 동기부여가 되지 않아 동기부여를 포기한 사람.

⑮ 뒷면 표지의 핵심 문구 동포 예정자 설명 - 동포 예

정자: 수많은 동기부여 독서, 자격증, 교육, 코칭을 받았지만 그때뿐이고 시간, 돈 낭비만 하는 사람.

⑯ 뒷면 표지의 핵심 문구 동케시 설명 - 동케시(동기부여 케어 시스템): 동기부여를 시스템 안에서 동기부여 주치의에게 150년 a/s, 피드백, 관리 받으면서 자신 분야 변화, 성장을 초고속으로 준비하는 사람.

20,000명 심리 상담, 코칭으로
알게 된 사람들이 바라는 6가지 시스템!
1
커피숍에서 지인과
대화 중에도 돈이
입금되는 시스템?
2
자고 있는데
돈을 버는 시스템?
3
여행 중에도 돈이
입금되는 시스템?
4
사무실, 직원이
필요 없는 시스템?
5
건물주처럼
월세가
입금되는 시스템?
6
집에서 댕댕이와
휴식하고 있는데 돈이
입금되는 시스템?
세계 최초! 출판계의 혁신!
돈이 들어오는 6가지 시스템을
가능하게 하는 것이
방탄book기술력!

대한민국 99%가 책 쓰기, 출간하는 방법만
교육, 코칭 한다!
6가지 수입 창출 책 쓰기, 출간 기술력을
교육, 코칭 하는 곳은 **방탄book뿐이다.**

방법만 배우면 돈이 계속 나가지만
방탄book기술력을 **배우면**
돈은 계속 들어온다.

책 뒷면 날개 표지 디자인 설명

6) 책 뒷면 날개 표지 디자인 설명

① 책날개 기본 A5 사이즈 - 세로 216mm

② 책날개 - 가로 100mm

③ 인쇄할 때 위, 아래 절단선 - 3mm

④ 인쇄할 때 절단선 - 3mm

⑤ 위에서부터 - 15mm

⑥ 위에서부터 - 46mm

⑦ 위에서부터 - 52mm

⑧ 위에서부터 - 75mm

⑨ 위에서부터 - 79mm

⑩ 아래에서부터 - 15mm

⑪ 왼쪽에서부터 - 16mm

⑫ 오른쪽에서부터 - 10mm

⑬ 기억에 남을 강력한 디자인 - "80억 분의 1 검증된 전문가" (세계에서 방탄동기부여를 할 수 있는 사람은 한 명 뿐이다.)

⑭ 차별화가 아닌 초월 - 4차 산업 시대는 4차 동기부여인 방탄동기부여로 일반 충전이 아닌 초고속 충전!

⑮ 책 뒷면 날개 표지 핵심 디자인 존 - 자신의 무한한 가능성을 끌어올려주는 방탄동기부여! 자신의 사과 씨, 도토리, 포토 씨 믿으세요! 사과 씨 안에 얼마나 많은 사과가 있는지 모른다!

도토리 안에 얼마나 많은 도토리가 있는지 모른다!

포도 씨 안에 얼마나 많은 포도가 있는지 모른다!
자신을 믿지 못하겠다면 자신을 믿어주는 최보규 방탄 동기부여 창시자를 믿고 시작합시다.
시간, 경력만 채우는 노오력이 아닌 어제보다 나음, 변화, 성장, 배움으로 수입을 극대화시켜 결과를 만들어 내는 올바른 노력을 해야 한다. 올바른 노력이 방탄동기부여다.

20,000명 심리 상담, 코칭으로
알게 된 사람들이 바라는 6가지 시스템!
1
커피숍에서 지인과 대화 중에도 돈이 입금되는 시스템?
2
자고 있는데 돈을 버는 시스템?
3
여행 중에도 돈이 입금되는 시스템?
4
사무실, 직원이 필요 없는 시스템?
5
건물주처럼 월세가 입금되는 시스템?
6
집에서 댕댕이와 휴식하고 있는데 돈이 입금되는 시스템?
세계 최초! 출판계의 혁신!
돈이 들어오는 6가지 시스템을
가능하게 하는 것이
방탄book기술력!

대한민국 99%가 책 쓰기, 출간하는 방법만
교육, 코칭 한다!
6가지 수입 창출 책 쓰기, 출간 기술력을
교육, 코칭 하는 곳은 방탄book뿐이다.

방법을 알면 1권 출간하고 끝이지만
방탄book기술력을 알면
10권, 100권, 1.000권... 도 가능하다.

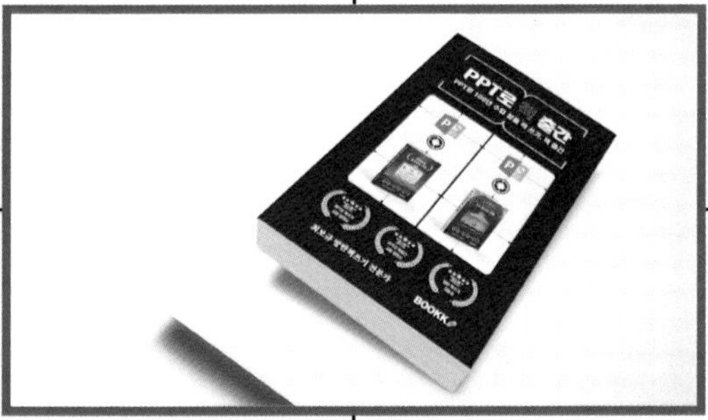

날개 표지 디자인 샘플

날개 표지 이미지

⑤ ④ ③ ② ①

날개 표지 사이즈

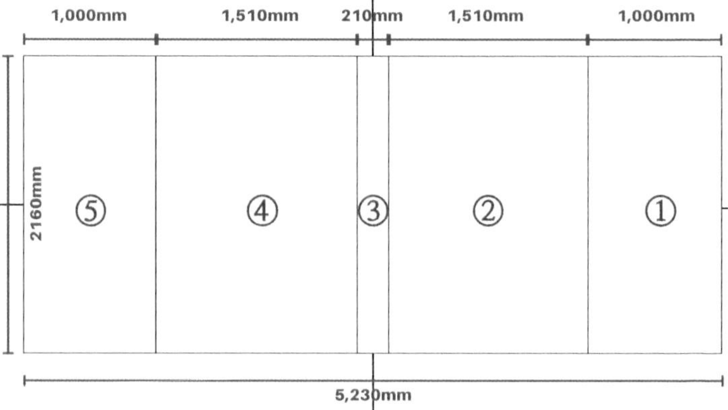

날개 표지 디자인 샘플

날개 표지 이미지

출간한 책 이미지

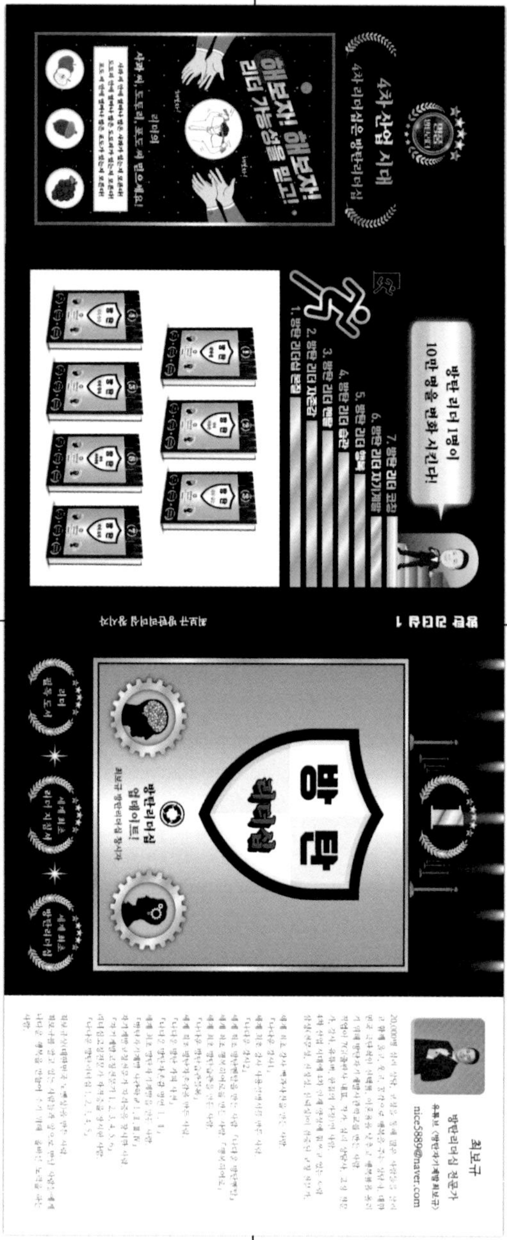
4차 산업 시대
4차 리더십은 방탄리더십
해보자! 해보자! 리더 가능성을 믿고!
리더의
사과 씨, 도토리, 포도 씨 믿으세요!
방탄 리더 1명이
10만 명을 변화 시킨다!
7. 방탄 리더 코칭
6. 방탄 리더 자기계발
5. 방탄 리더 행복
4. 방탄 리더 습관
3. 방탄 리더 멘탈
2. 방탄 리더 자존감
1. 방탄 리더십 본질
방탄 리더십 1
최보규 방탄리더십 창시자
방탄
리더십
방탄리더십
업데이트!
최보규 방탄리더십 창시자
리더
필독 도서
세계 최초
리더 지침서
세계 최초
방탄리더십
최보규
방탄리더십 전문가
nice5889@naver.com

세계최초 방탄멘탈
세계최초 강사 백과사전
포노 사피엔스 시대!(스마트폰 시대)
4차 산업 시대! AI 시대! SNS 시대!
초고속 성장, 스마트폰으로 인해 상대적 불행
상대적 불만, 상대적 빈곤에 노출이 되어 행복을 도둑맞고 있다.
나다운 행복을 지켜줄 우주에서 유일한 행복 히어로!
세계에서 대한민국 행복률이 꼴찌인 이유?
행복 학습, 행복 연습, 행복 훈련을 안해서이다.
행복도 스펙이다!
#영웅 #행복영웅 #행복사관학교 #나다운행복
행복 히어로
최보규 지음
행복히어로
(행복사관학교)
대한민국 행복을 지켜줄 히어로가 왔다!
최보규 지음
최보규
www.행복사관학교.com
유튜브 (나다운TV 최보규)

자기계발코칭전문가 6단계 시스템
1단계: 방탄자존감.
2단계: 방탄멘탈.
3단계: 방탄습관.
4단계: 방탄행복.
5단계: 방탄자기계발.
6단계: 방탄코칭.
명품 자기계발의 조건!
1. 단 하나. (only one)
방탄자기계발 코칭은 오직 최보규 창시자만 가능하다.
2. 우주 최강 책임감. (150년 a/s. 관리, 피드백)
3. 체계적인 1:1 맞춤 시스템. (9단계 시스템)
4. 20,000명 상담, 코칭. (상담 전문가)
5. 삶에서 검증된 전문가(진정성, 전문성, 신뢰성)
자기계발 책 12권 출간.
자기계발 코칭전문가 1
최보규 창시자
자기계발 코칭전문가 1
4차 산업 시대에는 명품 인재인
방탄자기계발 전문가 1명이
10만 명의 인생을 변화 시킨다!
방탄자기계발 전문가
최보규 참모총장
방탄 자기계발 창시자
자기계발 7관왕
명품코칭 전문가
최보규
방탄자기계발 전문가
유튜브 〈방탄자기계발최보규〉
nice5889@naver.com

CLASS6 메뉴얼, 시스템!
세상에서
가장 리스크가 적은 재테크
세상에는 3부류에
재테크 하는 사람이 있다!
방탄 리더 재테크 1
방탄 리더 재테크 1
자고 있는데 돈을 버는 재테크!
여행 중에도 돈이 입금 되는 재테크!
사무실, 직원이 필요 없는 재테크!
언제까지
몸으로만
일 할 것인가?
최보규 리더재테크 코칭전문가
BOOKK
최보규
리더재테크 코칭전문가
nice5589@naver.com

방탄 리더 동기부여
CLASS6 매뉴얼, 시스템!
동기부여 못하는 사람은 없다!
단지 동기부여
잘하는 방법을 모를 뿐이다!
세상에는 3부류에
동기부여 하는 사람이 있다!
동포자(동기부여 포기자)
수많은 영상, 글... 등을 봤지만 전혀 동기부여가 되지 않아 동기부여 포기한 사람.
동포 예정자
수많은 독서, 자격증, 교육, 코칭을 받지만 그때뿐이고 시간, 돈 낭비만 하는 사람.
동케시(동기부여 케어 시스템)
방탄 동기부여 시스템 안에서 동기부여 주치의에게 150년 a/s, 피드백, 관리 받으면서 자신 분야 초고속 동기부여 하는 사람.
방탄 리더 동기부여 1
최보규 방탄동기부여 창시자
방탄리더 1 동기부여
우리 리더는
제가 좋은 사람이
되고 싶도록 만들어요!
세계 최초
방탄리더
동기부여
최보규 방탄동기부여 창시자
최보규
리더동기부여 전문가
유튜브 〈방탄자기계발최보규〉
nice5889@naver.com
★ 20,000 / 7G / 2,000 / 7,000 / 39 / 50 / 6,000 / 45 / 320 / 15 숫자가 말해주는 사람!
20,000명 심리 상담, 코칭.
2,000권 독서.
7,000개 메모.
자기계발서 39권 출간.
강의 6,000회.
45년간 습관 320가지 만듦.
강사 15년 차.

방탄 리더 의무교육 1
직원은 5대 법정의무교육!
리더는 7대 의무교육!
최보규 리더의무교육 전문가
BOOKK
세상에는 3부류의
의무교육 하는 사람이 있다!
CLASS6 매뉴얼, 시스템!
리더 7대 의무교육
사용 설명서

방탄 리더 스피치
CLASS 5
방탄 리더 스피치 1
방탄 리더 스피치 2
방탄 리더 스피치 3
방탄 리더 스피치 4
방탄 리더 스피치 5
20,000명
심리 상담, 코칭을 통해 알게 된
방탄 리더 스피치 7단계 시스템!
1 리더 스피치 본질
2 리더 스피치 자존감
3 리더 스피치 멘탈
4 리더 스피치 습관
5 리더 스피치 행복
6 리더 스피치 자기계발
7 리더 스피치 코칭
방탄 리더 스피치 1
최보규 방탄리더스피치 창시자
방탄
리더
스피치
방탄 리더 스피치 1
아직도 말만 잘하는 스피치에 집착하는가?
리더여 아직도 1D 스피치, 2D 스피치를 하는가?
방탄 리더 스피치?
★ 따르라 말하지 않아도 따르게 하는 스피치!
★ 모든 게 변해도 변하지 않는 3D 스피치, 4D 스피치!
★ 자신 분야의 삼성(진정성, 전문성, 신뢰성)을 올리는 스피치!
★ 제2수입, 제3수입을 발생시켜 100년 수입 창출하는 스피치!
최보규 방탄리더스피치 창시자
최보규
방탄리더십 전문가
유튜브 〈방탄자기계발최보규〉
nice5889@naver.com
20,000명 심리 상담, 코칭을 통해 많은 사람들을 살리고 함께 울고, 웃고, 공감으로 행복을 주는 상담사.
20,000명 심리 상담, 코칭 경력이 있는 사람.
2,000권 독서를 한 사람.
7,000개 메모를 한 사람.
자기계발서 39권 출간한 사람.
강의 6,000회 경력이 있는 사람.
45년간 습관 320가지 만든 사람.
유튜버 5년 차인 사람.

리더는 유튜브가 아닌 나튜브!
3단계 매뉴얼, 시스템!
YouTube
ITube
350만, 250만, 200만, 100만, 50만, 10만, 5만... 구독자를 가지고 있었던 유튜버들이 유튜브를 떠난 이유?
나튜브가 아닌 유튜브를 해서다!
유튜브 하면 1년 안에 그만두지만
나튜브 하면 150세까지 한다!
리더는 유튜브가 아닌 나튜브 1
최보규 리더유튜브 전문가
리더는 유튜브가 아닌
나튜브! 1
나튜브로 월세, 연금성 수입 창출!
온라인 건물주!
"최초" 리더 유튜브 자기계발서
"최초" 나튜브 자기계발서
"최초" 리더 유튜브 사용 설명서
최보규 리더유튜브 코칭전문가
최보규
리더유튜브 전문가
nice5889@naver.com

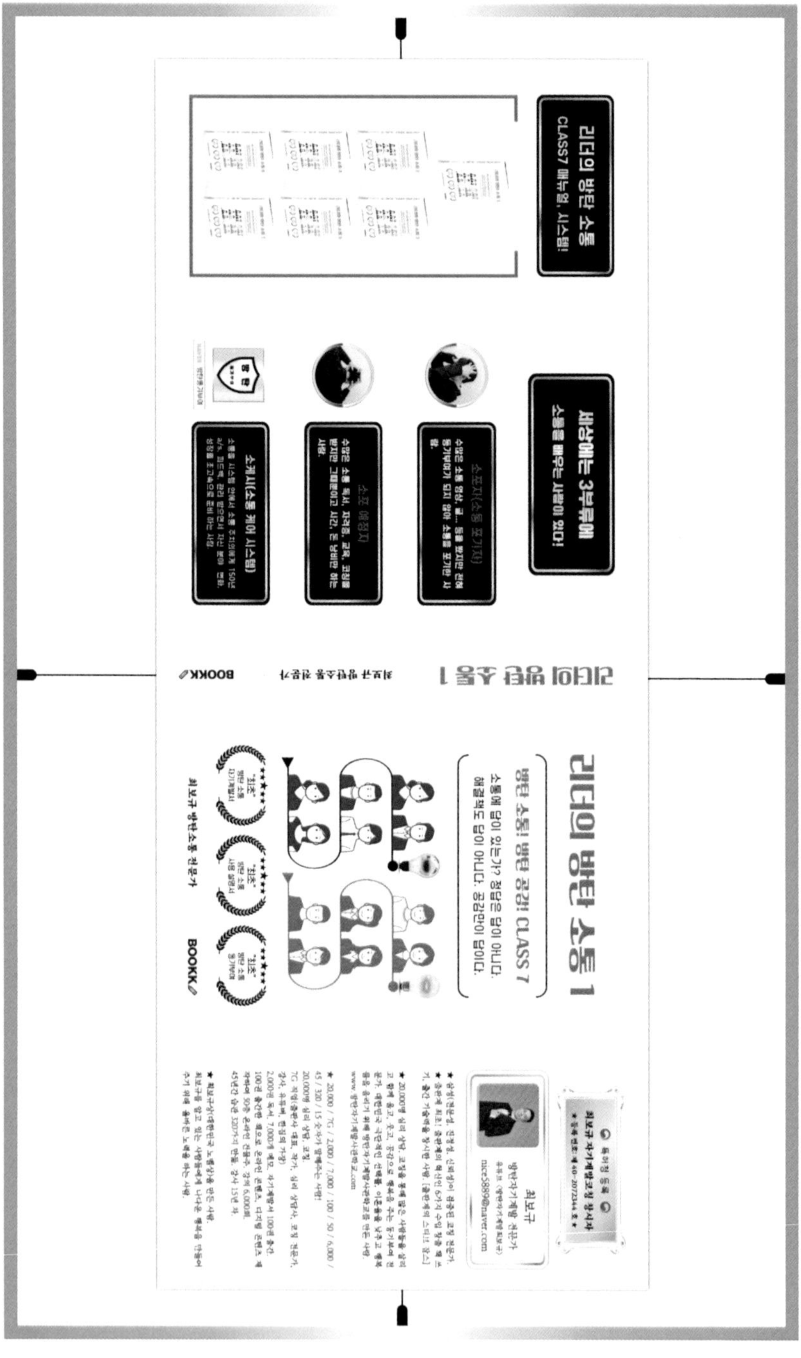
리더의 방탄 소통 1
방탄 소통! 방탄 공감! CLASS 7
세상에는 3부류의 소통을 배우는 사람이 있다!
리더의 방탄 소통 CLASS7 매뉴얼, 시스템!

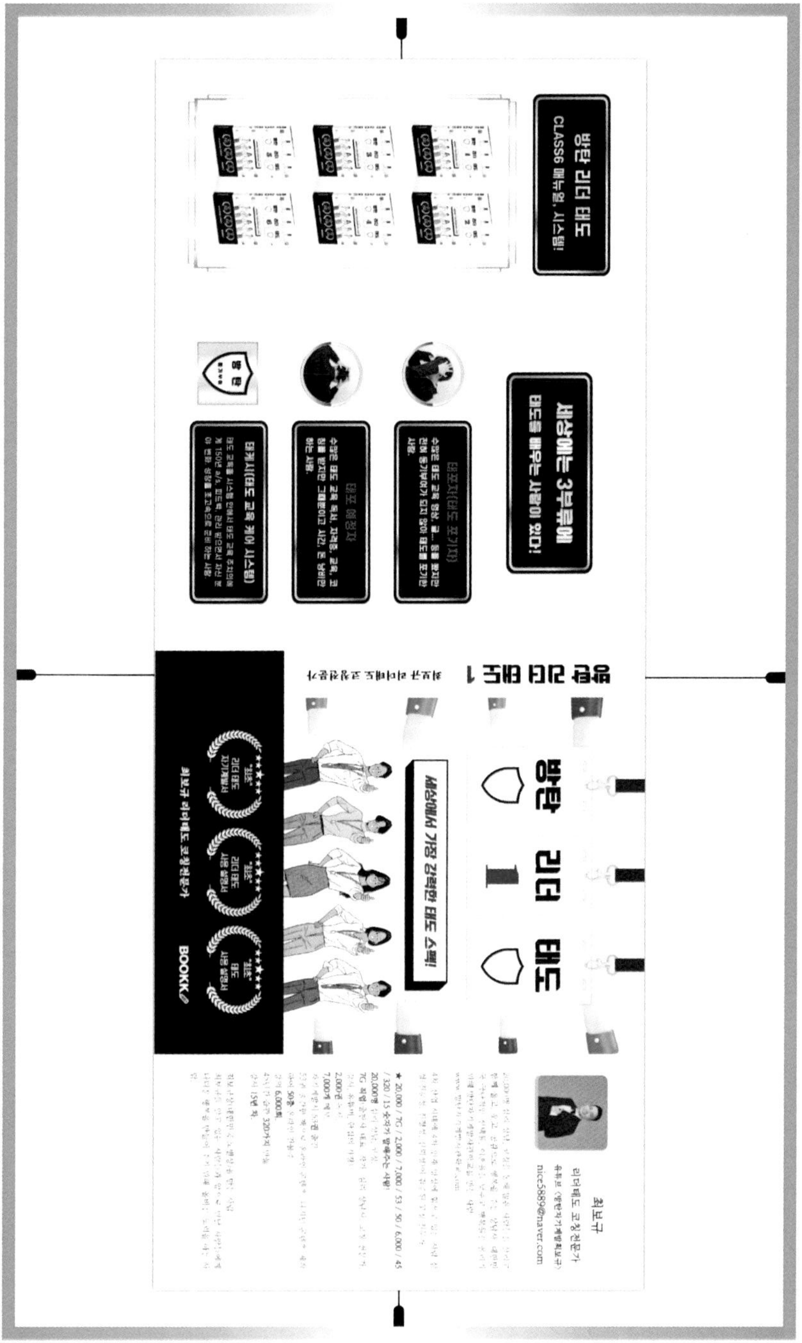
방탄 리더 태도
CLASS6 매뉴얼, 시스템!
세상에는 3부류의 태도를 배우는 사람이 있다!
방탄 리더 태도 1
최보규 리더태도 코칭전문가
세상에서 가장 강력한 태도 스펙!
최보규 리더태도 코칭전문가
BOOKK
최보규
리더태도 코칭전문가
nice5889@naver.com

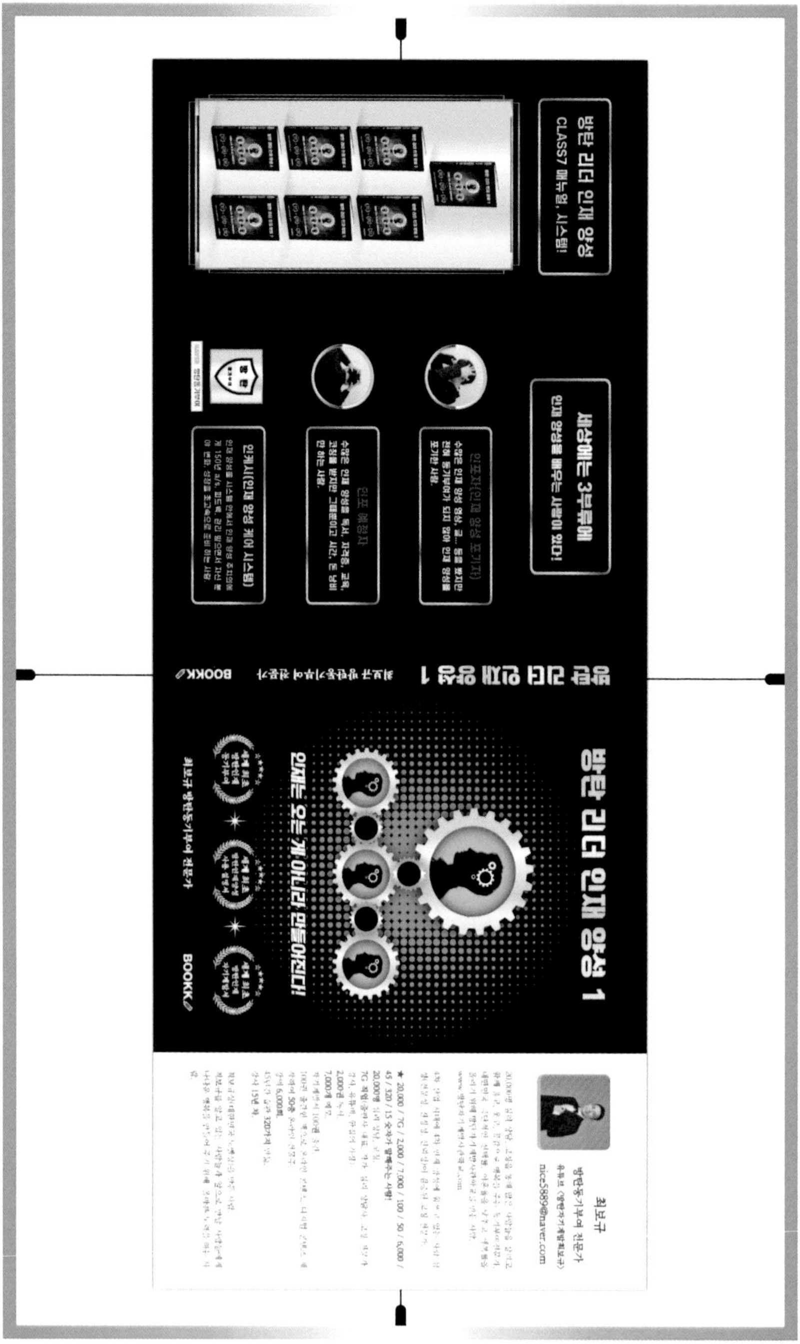

방탄 리더 인재 양성
CLASS7 매뉴얼, 시스템!
세상에는 3부류에
인재 양성을 배우는 사람이 있다!
인포자(인재 양성 포기자)
수많은 인재 양성 영상, 글... 등을 봤지만 전혀 동기부여가 되지 않아 인재 양성을 포기한 사람.
인포 예정자
수많은 인재 양성을 독서, 자격증, 교육, 코칭을 받지만 그때뿐이고 시간, 돈 낭비만 하는 사람.
인케시(인재 양성 케어 시스템)
인재 양성을 시스템 안에서 인재 양성 주치의에게 150년 a/s, 피드백, 관리 받으면서 자신 분야 변화, 성장을 초고속으로 준비 하는 사람.
방탄 리더 인재 양성 1
최보규 방탄동기부여 전문가
BOOKK
방탄 리더 인재 양성 1
인재는 오는 게 아니라 만들어진다!
최보규 방탄동기부여 전문가
BOOKK
최보규
방탄동기부여 전문가
nice5889@naver.com

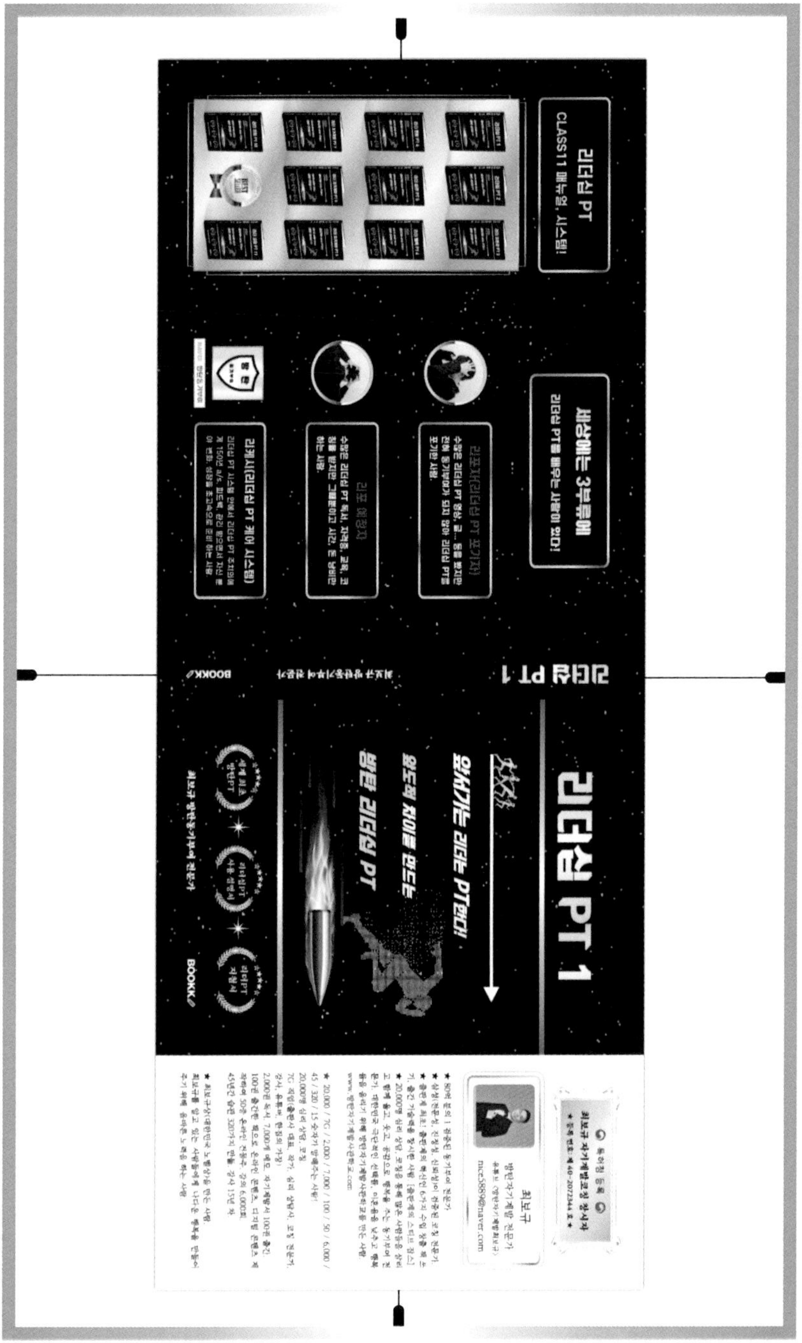

리더십 PT 1
앞서가는 리더는 PT한다!
압도적 차이를 만드는
명품 리더십 PT
최보규 행복동기부여 전문가
BOOKK
세상에는 3부류에
리더십 PT를 배우는 사람이 있다!
리더십 PT
CLASS11 매뉴얼, 시스템!
최보규

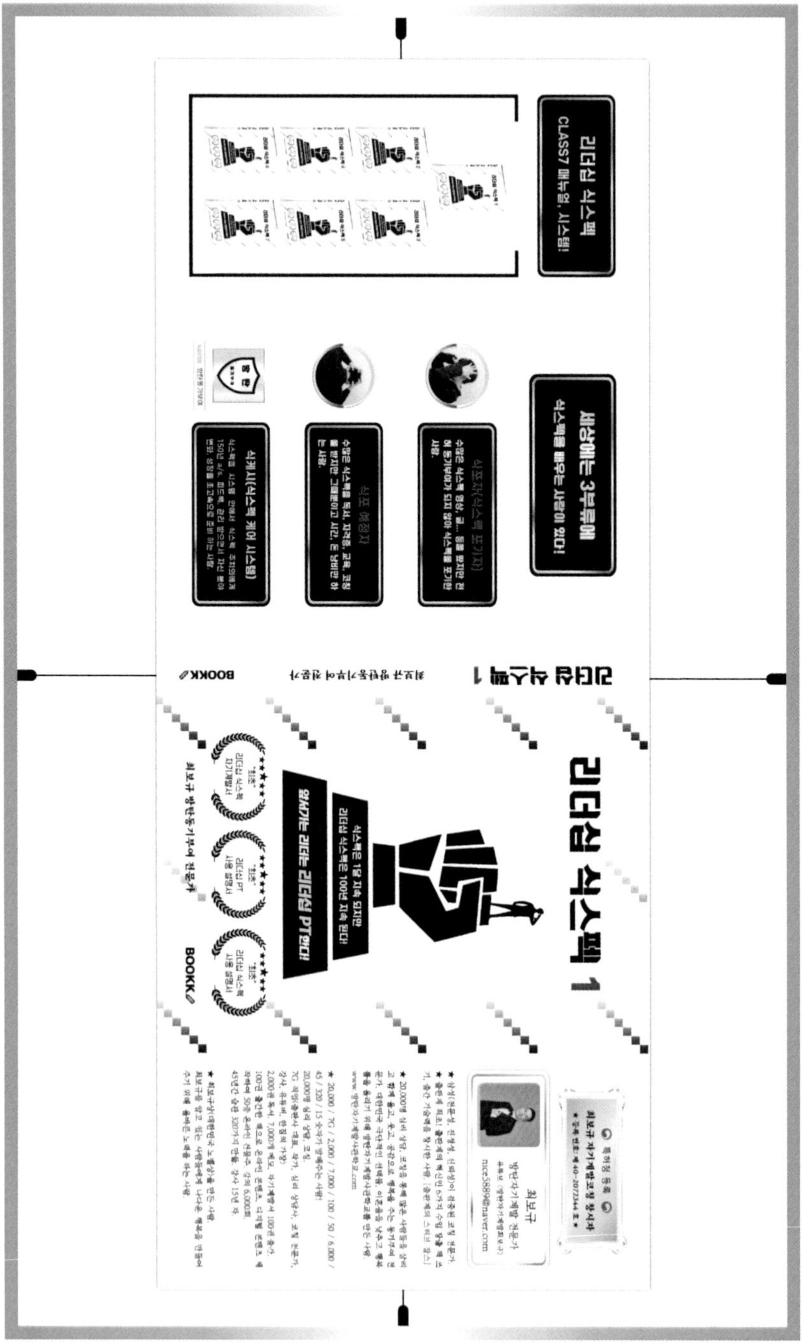
리더십 식스팩 1
세상에는 3부류에 식스팩을 배우는 사람이 있다!
리더십 식스팩
CLASS7 매뉴얼, 시스템!
BOOKK

방탄 인간관계
CLASS7 매뉴얼, 시스템!
세상에는 3부류에
인간관계를 배우는 사람이 있다!
인포자(인간관계 포기자)
수많은 인간관계 영상, 글... 등을 봤지만 전혀 동기부여가 되지 않아 인간관계를 포기한 사람.
인포 예정자
수많은 인간관계 독서, 자격증, 교육, 코칭을 받지만 그때뿐이고 시간, 돈 낭비만 하는 사람.
인케시(인간관계 케어 시스템)
인간관계를 시스템 안에서 인간관계 주치의에게 150년 a/s, 피드백, 관리 받으면서 자신 분야 변화, 성장을 초고속으로 준비 하는 사람.
리더의 방탄 인간관계 1
최보규 방탄인간관계 전문가
BOOKK
리더의 방탄 인간관계 1
천재지변 인간관계! 천재일우 인간관계
CLASS1
CLASS2
CLASS3
CLASS4
CLASS5
CLASS6
CLASS7
"최초" 방탄 인간관계 자기계발서
"최초" 방탄 인간관계 사용 설명서
"최초" 방탄 인간관계 지침서
최보규 방탄인간관계 전문가
BOOKK
특허청 등록
최보규 자기계발코칭 창시자
★ 등록 번호: 제 40-2072344 호 ★
최보규
방탄자기계발 전문가
유튜브 (방탄자기계발최보규)
nice5889@naver.com
★ 삼성(전문성, 진정성, 신뢰성)이 검증된 코칭 전문가.
★ 출판계 최초! 출판계의 혁신인 6가지 수입 창출 책 쓰기, 출간 기술력을 창시한 사람. [출판계의 스티브 잡스]
★ 20,000명 심리 상담, 코칭을 통해 많은 사람들을 살리고 함께 울고, 웃고, 공감으로 행복을 주는 동기부여 전문가. 대한민국 극단적인 선택률, 이혼율을 낮추고 행복률을 올리기 위해 방탄자기계발사관학교를 만든 사람.
www.방탄자기계발사관학교.com
★ 20,000 / 7G / 2,000 / 7,000 / 100 / 50 / 6,000 / 45 / 320 / 15 숫자가 말해주는 사람!
20,000명 심리 상담, 코칭.
7G 직업(출판사 대표, 작가, 심리 상담사, 코칭 전문가, 강사, 유튜버, 한집의 가장)
2,000권 독서, 7,000개 메모, 자기계발서 100권 출간.
100권 출간한 책으로 온라인 콘텐츠, 디지털 콘텐츠 제작하여 50층 온라인 건물주, 강의 6,000회.
45년간 습관 320가지 만듦, 강사 15년 차.
★ 최보규상(대한민국 노벨상)을 만든 사람.
최보규를 알고 있는 사람들에게 나다운 행복을 만들어주기 위해 올바른 노력을 하는 사람.

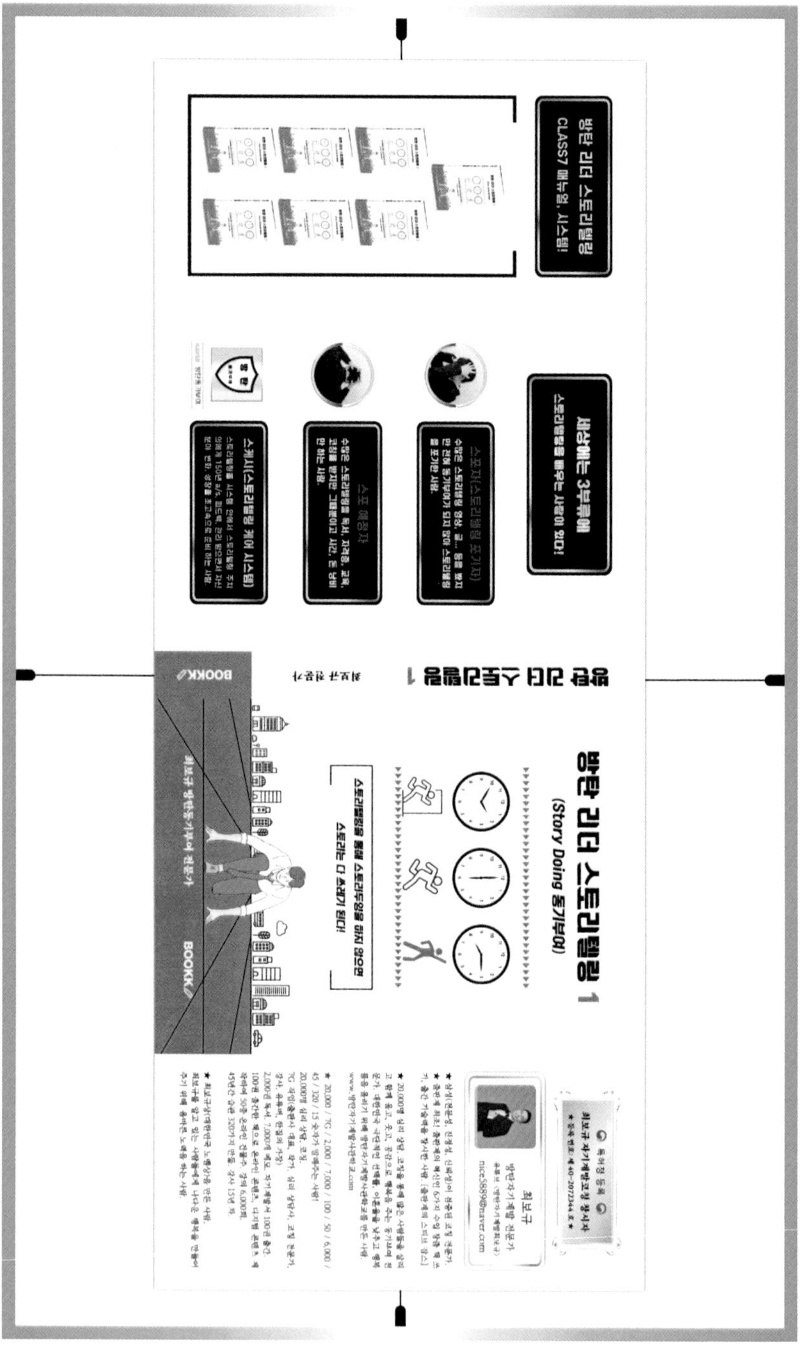

방탄 리더 스토리텔링
CLASS7 매뉴얼, 시스템!
세상에는 3부류에
스토리텔링을 배우는 사람이 있다!
스포자(스토리텔링 포기자)
수많은 스토리텔링 영상, 글... 등을 봤지만 전혀 동기부여가 되지 않아 스토리텔링을 포기한 사람.
스포 해정자
수많은 스토리텔링을 독서, 자격증, 교육, 코칭을 받지만 그때뿐이고 시간, 돈 낭비만 하는 사람.
스케시(스토리텔링 케어 시스템)
스토리텔링을 시스템 안에서 스토리텔링 주치의에게 150년 a/s, 피드백, 관리 받으면서 자신 분야 변화, 성장을 초고속으로 준비 하는 사람.
방탄 리더 스토리텔링 1
최보규 전문가
BOOKK
방탄 리더 스토리텔링 1
(Story Doing 동기부여)
스토리텔링을 통해 스토리두잉을 하지 않으면
스토리는 다 쓰레기 된다!
최보규 방탄동기부여 전문가
BOOKK
특허청 등록
최보규 자기계발코칭 창시자
★ 등록 번호: 제 40-2072344 호 ★
최보규
방탄자기계발 전문가
유튜브 (방탄자기계발최보규)
nice5889@naver.com
★ 삼성(전문성, 진정성, 신뢰성)이 검증된 코칭 전문가.
★ 출판계 최초! 출판계의 혁신인 6가지 수입 창출 책 쓰기, 출간 기술력을 창시한 사람. [출판계의 스티브 잡스]
★ 20,000명 심리 상담, 코칭을 통해 많은 사람들을 살리고 함께 울고, 웃고, 공감으로 행복을 주는 동기부여 전문가. 대한민국 극단적인 선택률, 이혼율을 낮추고 행복률을 올리기 위해 방탄자기계발사관학교를 만든 사람.
www.방탄자기계발사관학교.com
★ 20,000 / 7G / 2,000 / 7,000 / 100 / 50 / 6,000 / 45 / 320 / 15 숫자가 말해주는 사람!
20,000명 심리 상담, 코칭.
7G 직업(출판사 대표, 작가, 심리 상담사, 코칭 전문가, 강사, 유튜버, 한집의 가장)
2,000권 독서, 7,000개 메모, 자기계발서 100권 출간.
100권 출간한 책으로 온라인 콘텐츠, 디지털 콘텐츠 제작하여 50종 온라인 건물주. 강의 6,000회.
45년간 습관 320가지 만듦. 강사 15년 차.
★ 최보규상(대한민국 노벨상)을 만든 사람.
최보규를 알고 있는 사람들에게 나다운 행복을 만들어 주기 위해 올바른 노력을 하는 사람.

나다운 방탄습관블록
최보규 지음
BOOKK

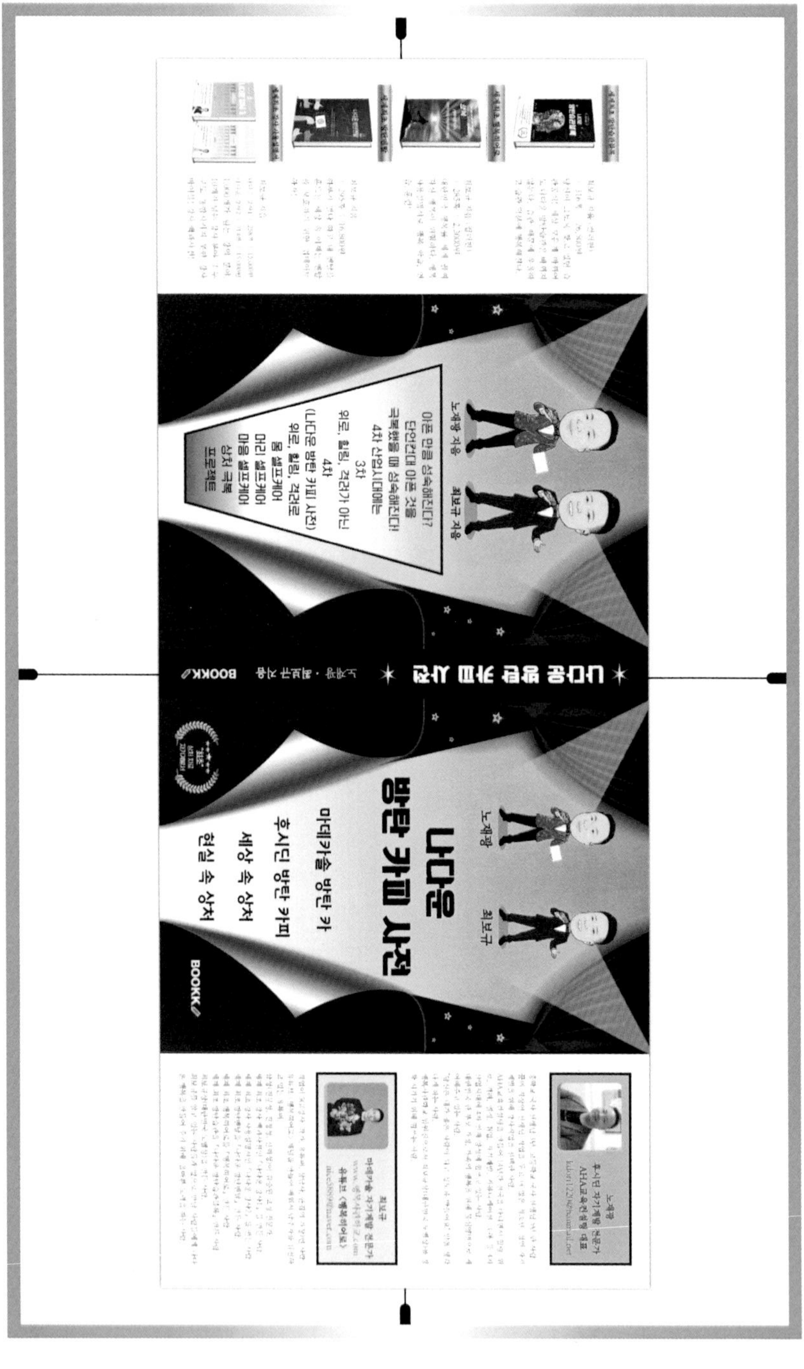
나다운 방탄 카피 사전
마데카솔 방탄 카
후시딘 방탄 카피
세상 속 상처
현실 속 상처
최보규
노재광
BOOKK

"80억 분의 1 검증된 전문가"
"세계 최초"
방탄 리더십 시스템!
해보자! 해보자!
자신 가능성을 믿고!
자신의
사과 씨, 도토리, 포도 씨 믿으세요!
세상에는 3부류에
리더십을 배우는 사람이 있다!
리포자(리더십 포기자)
수많은 리더십 영상, 글... 등을 봤지만 전혀 동기부여가 되지 않아 리더십을 포기한 사람.
리포 예정자
수많은 리더십 독서, 자격증, 교육, 코칭을 받지만 그때뿐이고 시간, 돈 낭비만 하는 사람.
리케시(리더십 케어 시스템)
1조 리더십 강의 1
최보규 방탄리더십 일타강사
BOOKK
□□ 리더가 10만 명을 변화시킨다!
리더십 일타강사
강사야 대표 강사
특허청 등록
특허청 등록
최보규 리더동기부여 코칭전문가
최보규
방탄리더십 전문가
nice5889@naver.com
★ 80억 분의 1 ONLY ONE 검증된 동기부여 일타강사!
★ 삼성(전문성, 진정성, 신뢰성)이 검증된 코칭 전문가.
★ 20,000명 심리 상담, 코칭을 통해 대한민국 극단적인 선택률, 이혼율을 낮추고 행복률을 올리기 위해 방탄자기계발사관학교를 만든 사람.
www.방탄자기계발사관학교.com
★ 20,000 / 7G / 2,000 / 7,000 / 100 / 50 / 6,000 / 45 / 320 / 15 숫자가 말해주는 사람!
20,000명 심리 상담, 코칭.
2,000권 독서, 7,000개 메모, 자기계발서 100권 출간.
100권 출간한 책으로 온라인 콘텐츠, 디지털 콘텐츠 제작하여 50종 온라인 건물주, 강의 6,000회.
45년간 습관 320가지 만듦, 강사 15년 차.
★ 최보규상(대한민국 노벨상)을 만든 사람.

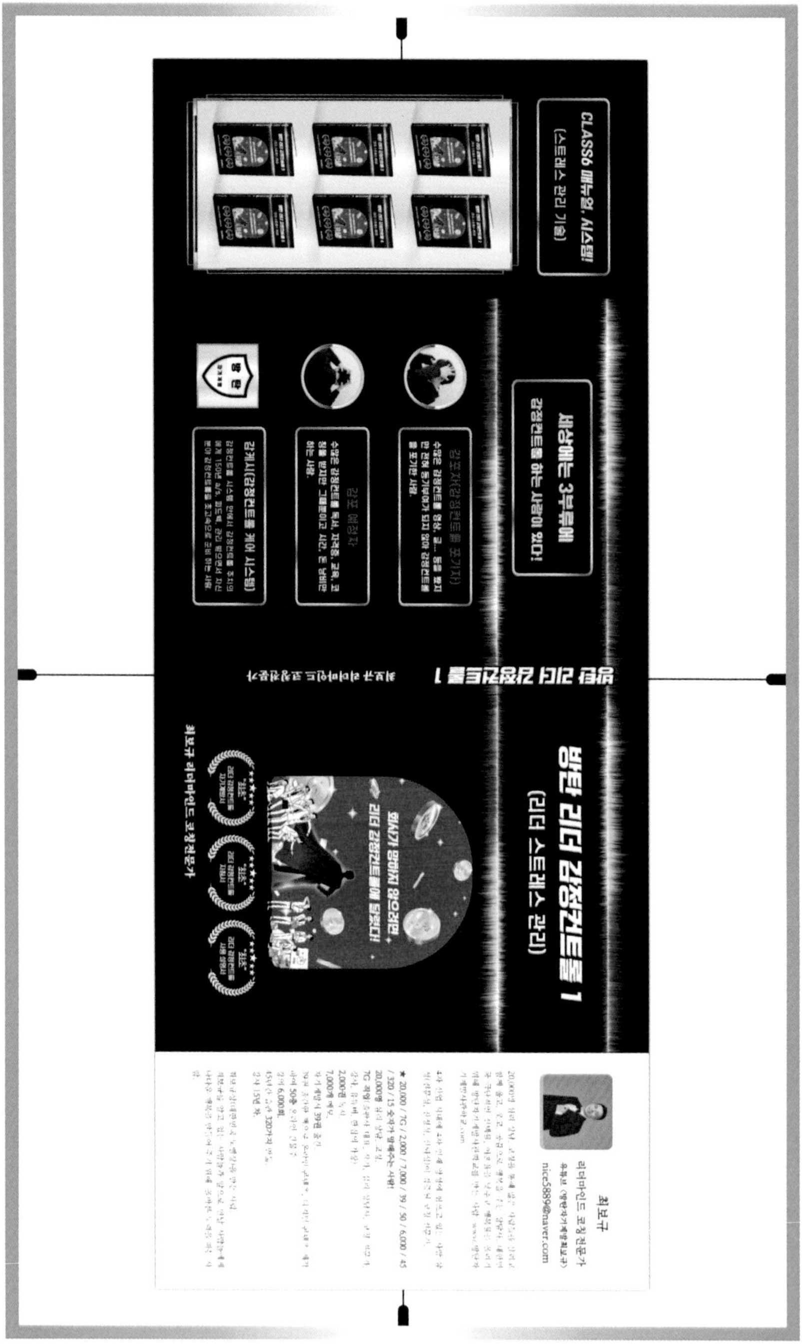

CLASS6 매뉴얼, 시스템!
(스트레스 관리 기술)
세상에는 3부류에
감정컨트롤 하는 사람이 있다!
감포자(감정컨트롤 포기자)
수많은 감정컨트롤 영상, 글... 등을 봤지만 전혀 동기부여가 되지 않아 감정컨트롤을 포기한 사람.
감포 예정자
수많은 감정컨트롤 독서, 자격증, 교육, 코칭을 받지만 그때뿐이고 시간, 돈 낭비만 하는 사람.
감케시(감정컨트롤 케어 시스템)
감정컨트롤 시스템 안에서 감정컨트롤 주치의에게 150년 a/s, 피드백, 관리 받으면서 자신 분야 감정컨트롤을 초고속으로 코비 하는 사람.
방탄 리더 감정컨트롤 1
최보규 리더마인드 코칭전문가
방탄 리더 감정컨트롤 1
(리더 스트레스 관리)
회사가 망하지 않으려면 리더 감정컨트롤에 달렸다!
최보규 리더마인드 코칭전문가
최보규
리더마인드 코칭전문가
nice5889@naver.com

254

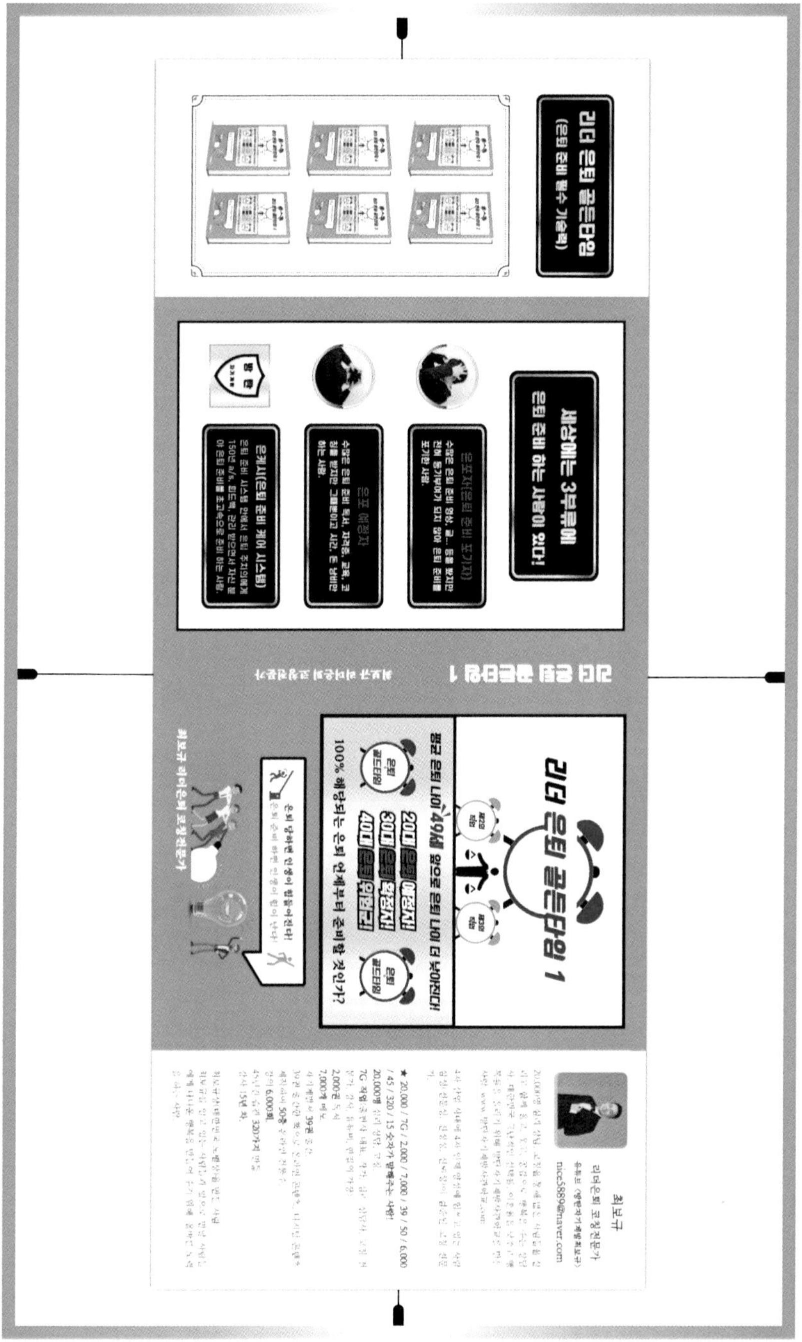

리더 은퇴 골든타임
(은퇴 준비 필수 기술력)
세상에는 3부류에
은퇴 준비 하는 사람이 있다!
은포자(은퇴 준비 포기자)
수많은 은퇴 준비 영상, 글... 등을 봤지만 전혀 동기부여가 되지 않아 은퇴 준비를 포기한 사람.
은포 예정자
수많은 은퇴 준비 독서, 자격증, 교육, 코칭을 받지만 그때뿐이고 시간, 돈 낭비만 하는 사람.
은케시(은퇴 준비 케어 시스템)
은퇴 준비 시스템 안에서 은퇴 주치의에게 150년 a/s, 피드백, 관리 받으면서 자신 분야 은퇴 준비를 초고속으로 준비 하는 사람.
리더 은퇴 골든타임 1
최보규 리더은퇴 코칭전문가
리더 은퇴 골든타임 1
평균 은퇴 나이 49세 앞으로 은퇴 나이 더 낮아진다!
20대 은퇴 예정자!
30대 은퇴 확정자!
40대 은퇴 위험군!
100% 해당되는 은퇴 언제부터 준비할 것인가?
은퇴 당하면 인생이 힘들어진다!
은퇴 준비 하면 인생이 힘이 난다!
최보규 리더은퇴 코칭전문가
최보규
리더은퇴 코칭전문가
nice5889@naver.com
★ 20,000 / 7G / 2,000 / 7,000 / 39 / 50 / 6,000 / 45 / 320 / 15 숫자가 말해주는 사람!

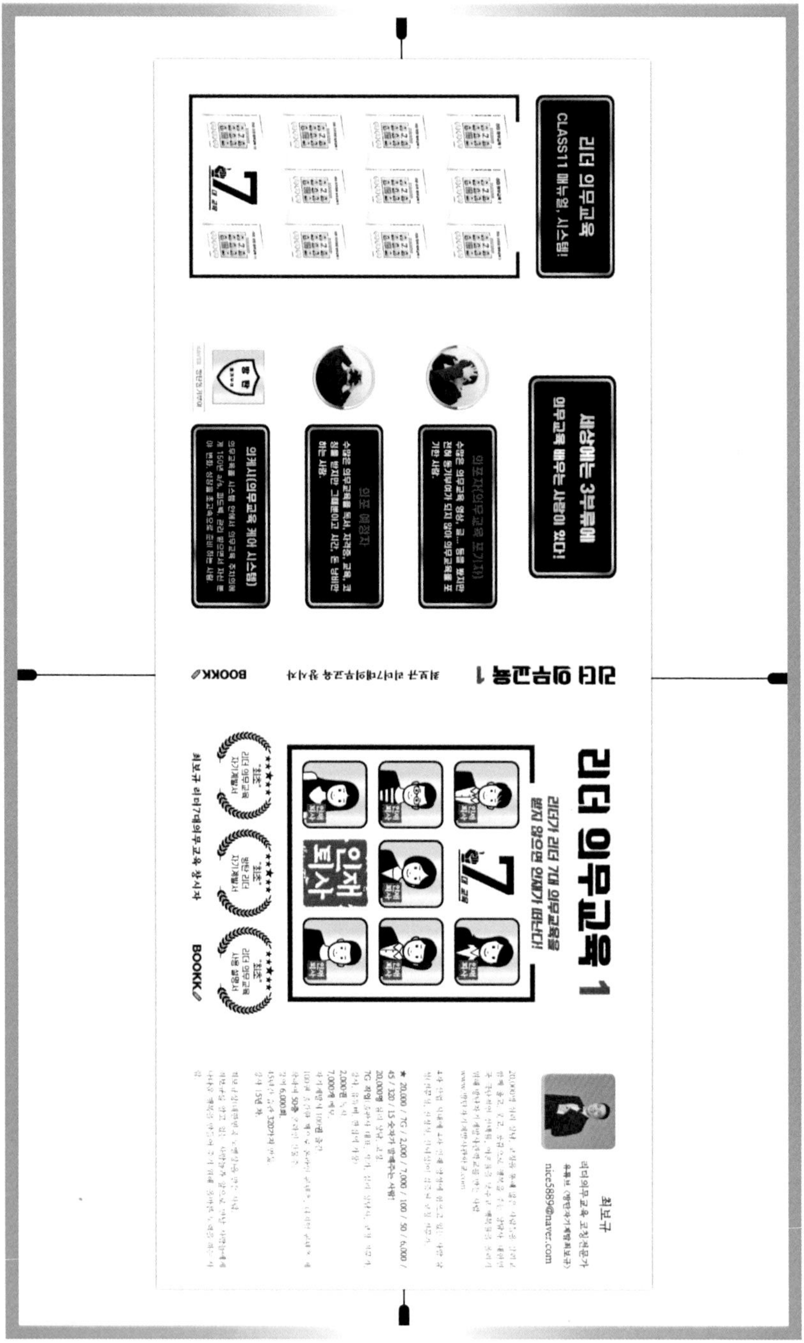
리더 의무교육
CLASS11 매뉴얼, 시스템!
세상에는 3부류에
의무교육 배우는 사람이 있다!
의포자(의무교육 포기자)
수많은 의무교육 영상, 글... 등을 봤지만 전혀 동기부여가 되지 않아 의무교육을 포기한 사람.
의포 예정자
수많은 의무교육을 독서, 자격증, 교육, 코칭을 받지만 그때뿐이고 시간, 돈 낭비만 하는 사람.
의케시(의무교육 케어 시스템)
의무교육을 시스템 안에서 의무교육 주치의에게 150년 a/s, 피드백, 관리 받으면서 자신 분야 변화, 성장을 초고속으로 준비 하는 사람.
리더 의무교육 1
최보규 리더7대의무교육 창시자
BOOKK
리더 의무교육 1
리더가 리더 7대 의무교육을
받지 않으면 인재가 떠난다!
인재퇴사
"최초" 리더 의무교육 자기계발서
"최초" 방탄 리더 자기계발서
"최초" 리더 의무교육 사용 설명서
최보규 리더7대의무교육 창시자
BOOKK
최보규
리더의무교육 코칭전문가
nice5889@naver.com

방탄 리더 기본기
CLASS6 매뉴얼, 시스템!
세상에는 3부류에
기본기를 하는 사람이 있다!
기포자(기본기 포기자)
수많은 기본기 영상, 글... 등을 봤지만 전혀 동기부여가 되지 않아 기본기를 포기한 사람.
기포 예정자
수많은 기본기를 독서, 자격증, 교육, 코칭을 받지만 그때뿐이고 시간, 돈 낭비만 하는 사람.
기케시(기본기 케어 시스템)
기본기를 시스템 안에서 기본기 주치의에게 150년 a/s, 피드백, 관리 받으면서 자신 분야 변화, 성장을 초고속으로 준비 하는 사람.
방탄 리더 기본기 1
최보규 리더기본기 코칭전문가
BOOKK
방탄 리더 기본기 1
어떤 분야든 기본기가 없으면
월드클래스가 될 수 없다!
세계 최초 리더 기본기
기본기 사용 설명서
세계 최초 기본기 매뉴얼
최보규 리더기본기 코칭전문가
BOOKK
최보규
리더기본기 코칭전문가
nice5889@naver.com

방탄 리더 책쓰기
3단계 매뉴얼, 시스템!
세상에는 3부류에
책 쓰는 사람이 있다!
책 쓰는 방법만 배워서 책 출간 후 3개월 지나면 소중한 책이 냄비 받침대 되어 쓰레기 취급해 버리는 사람!
책 쓰기, 책 출간 방법을 배운 후 출간한 책으로 수입을 발생시킬 수 있는 방법을 다시 배우기 위해 300~500만 원 지불하는 사람!
한번 코칭으로 6가지 수입 창출까지 할 수 있는 책 쓰는 기술력을 배우고 100년 활용할 수 있는 책 쓰기, 책 출간 방법까지 배워서 은퇴, 노후 준비까지 할 수 있는 사람! 150년 a/s, 피드백, 관리까지 받는 사람!
www.방탄book.com
방탄 리더 책쓰기 1
최보규 방탄리더책쓰기 창시자
방탄 리더 책쓰기 1
"세계 최초" 방탄 리더 책쓰기!
방탄book: 6가지 수입 자동 시스템 책 출간!!
사무실, 직원이 필요 없는 시스템?
자고 있는데 돈을 버는 시스템?
여행 중에도 돈이 입금되는 시스템?
인세
은퇴, 노후 준비
강의, 코칭
온라인 콘텐츠 월세 수입
디지털 콘텐츠 연금성 수입
최보규 방탄리더책쓰기 창시자
최보규
방탄리더책쓰기 전문가
유튜브 〈방탄자기계발최보규〉
nice5889@naver.com
★ 책 쓰기, 책 출간 내공, 가치, 스펙!

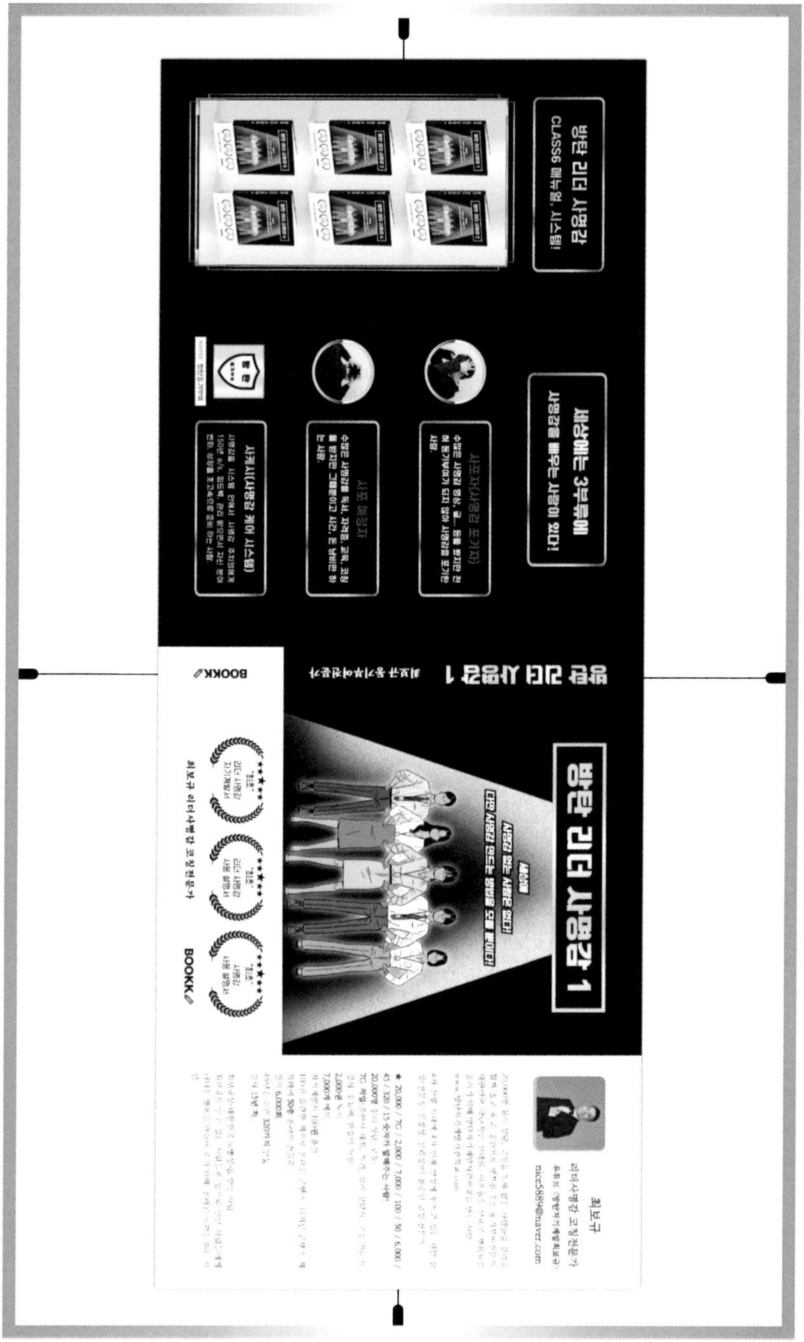
방탄 리더 사명감
CLASS6 매뉴얼, 시스템!
세상에는 3부류에 사명감을 배우는 사람이 있다!
사포자(사명감 포기자)
사포 예정자
사계시(사명감 계의 시스템)
방탄 리더 사명감 1
최보규 동기부여전문가
BOOKK
방탄 리더 사명감 1
세상에
사명감 없는 사람은 없다!
다만 사명감 만드는 방법을 모를 뿐이다!
최보규 리더사명감 코칭전문가
BOOKK
최보규
리더사명감 코칭전문가
유튜브 〈방탄자기계발최보규〉
nice5889@naver.com
★ 20,000 / 7C / 2,000 / 7,000 / 100 / 50 / 6,000 /
45 / 320 / 15 숫자가 말해주는 사람!

날개 표지 디자인 샘플

날개 표지 이미지

⑤ ④ ③ ② ①

출간한 책 이미지

날개 표지 디자인 설명과 날개 표지 디자인 제작했던 샘플을 보니 어떤 생각이 드는가?

20,000명 심리 상담, 코칭 하면서 쌓인 내공과 종이책 150권, 전자책 250권 총 400권 출간했던 내공으로 당신이 지금 어떤 생각이 들었고 어떤 궁금증이 생기는지 맞혀 보겠다.

"앞에서 늘 강조했던 마우(마우스만 움직일 줄 아는 우주 초보) 실력으로 책 앞면 표지, 책 3D 입체 표지, 책 날개 표지까지 가능하다고? 믿어지지가 않은데? 진짜 마우 실력으로 가능하다면 이건 대박이다. 방탄book기 술력은 무조건 배워야 되고 코칭 받고 싶다. 어떤 책 보다 디테일하고 정성스러운 설명들을 보니 최보규 방탄 book 코칭전문가님의 삼성(진정성, 전문성, 신뢰성)과 종이책 150권, 전자책 250권 총 400권 출간했던 내공이 느껴진다. 혼자서도 할 수 있는 설명인데... 아무리 쉬운 설명이라도 혼자 하기가 쉽지 않을 거 같은데..."

단언컨대 책 쓰기, 책 출간 그 어떤 책도 이렇게까지 디테일하고 쉽게 따라 할 수 있게 설명을 해놓은 책이 없다. 그래서 이 책 보는 사람이라면 천재일우(천 년에 한 번 만난다는 뜻으로 좀처럼 만나기 어려운 기회) 온 것이니 조상에서 감사하고 "내가 인생을 지금까지 잘 살아서 이런 기회가 오는구나."라는 마음으로 제대로 배우길 바란다.

아무리 쉬운 것도 처음 시도하는 것은 우주에서 가장 어려운 것이다. 사용 설명서만 들어도 척척척 하는 사람은 극히 드물다. 대부분 사람들은 하는 방법을 직접 설명을 들어야만 제대로 한다는 것이다.

시간, 돈 낭비를 줄이는 최고의 방법은 한번 배울 때 검증된 전문가에게 제대로 배우는 것이다.

20,000명 심리 상담, 코칭으로 알게 된 사람들이 바라는 6가지 시스템!

1

커피숍에서 지인과 대화 중에도 돈이 입금되는 시스템?

2

자고 있는데 돈을 버는 시스템?

3

여행 중에도 돈이 입금되는 시스템?

4

사무실, 직원이 필요 없는 시스템?

5

건물주처럼 월세가 입금되는 시스템?

6

집에서 댕댕이와 휴식하고 있는데 돈이 입금되는 시스템?

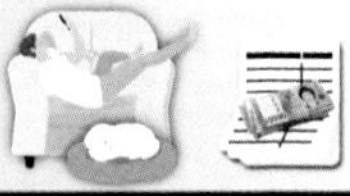

세계 최초! 출판계의 혁신!
돈이 들어오는 6가지 시스템을 가능하게 하는 것이

방탄book기술력!

ONLY ONE
"80억 분의 1 검증된 전문가"
특허청 등록
최보규 자기계발코칭 창시자
등록 번호: 제 40-2072344 호
최보규 대표
상담, PT, 코칭, 강의, 컨설팅 문의
010-6578-8295
특허청 등록
최보규 리더동기부여 코칭전문가
등록 번호: 제 40-2128786 호
대한민국 강사 섭외 NO1 '강사야'
'강사야' "대표 일타 강사 최보규"
THE BEST COMPANY
GANGSAYA
강사섭외
최보규
로그인
회원가입
전체분야
강사프로필
섭외문의
분야별특강
커뮤니티
추천강사
섭외문의무료등록
최보규강사
특허청 등록으로 검증된 강사!
방탄 동기부여/리더십/자기계발
동기부여/리더십/자기계발 업데이트!
저서 100권의 내공을 통한 세계 최초 1+4를 주는 가성비 강사!
(강의메세지+즐거움+스토리텔링+실천 사용 설명서 제공)
Google 자기계발아마존
YouTube 방탄자기계발
NAVER 강사야
NAVER 최보규

20,000명 심리 상담, 코칭으로 알게 된
20,000명이 바라는 책 쓰기, 책 출간 교육, 코칭

방탄 book **10가지** 방탄 book

1 한번 출간한 책으로 평생 활용하는 방법을 알려주는 교육, 코칭

2 로또 2등과 같은 기획출판을 하기 위해서 출판기획서 제작 스트레스, 거절 메일을 확인 하는 스트레스, 370가지 스트레스... 등 마음고생 덜 하고 책 출간할 수 있는 책 쓰기 교육, 코칭

3 책 활용 수입 창출 시스템 교육을 검증 된 전문가에게 한 곳에서 시간, 돈 낭비를 줄여주는 책 쓰기 교육, 코칭

4 한번 코칭으로 100년 a/s, 피드백, 관리해 주는 책 쓰기 교육, 코칭

5 책 출간 후 자신 분야 삼성(진정성, 전문성, 신뢰성)을 높여 자신 분야 내공, 가치, 몸값까지 올릴 수 있는 책 쓰기 교육, 코칭

6 출간한 책으로 강사가 되어 은퇴 후 제2의 직업을 할 수 있는 책 쓰기 교육, 코칭

7 책 출간 후 자신 분야 코칭 전문가가 되어 은퇴 후 제3의 직업까지도 할 수 있는 책 쓰기 교육, 코칭

8 책 출간 후 온라인 콘텐츠까지 제작을 해서 비수기 없는 책 쓰기 교육, 코칭

9 책 출간 후 디지털 콘텐츠까지 제작을 해서 월세, 연금성 수입까지 발생시킬 수 있는 책 쓰기 교육, 코칭

10 책 한 권 출간하고 끝나는 것이 아니라 100년 동안 책을 무한대로 출간 할 수 있는 책 쓰기, 책 출간 기술력을 교육, 코칭

방탄 book

책 쓰기, 책 출간 교육, 코칭은 누구나 한다.
6가지 수입 창출 책 쓰기, 책 출간
교육, 코칭은 방탄BOOK 창시자 뿐이다.

20,000명 심리 상담, 코칭으로 알게 된
20,000명이 바라는 책 쓰기, 책 출간 교육, 코칭
방탄 book
10가지
방탄 book
방탄 book
www.방탄book.com
NAVER 방탄book출판사
세계에서 20,000명이 바라는
책 쓰기, 책 출간 교육, 코칭 10가지를
할 수 있는 곳은
방탄book출판사 뿐이다!

PPT에서 표지 날개 디자인

⑤ ④ ③ ② ①

8. PPT에서 표지 날개 디자인

망고보드에서 책 앞면 표지 디자인을 제작하면 책날개 표지도 망고보드에서 해결을 할 수 있지만 마우(마우스만 움직일 줄 아는 우주 초보)들을 위해서 PPT에서 표지 날개 디자인하는 방법을 설명하겠다.

표지도 PPT에서 만들 수 있다. 하지만 저작권 문제, 디자인 퀄리티(Quality) 저하로 인해 표지 디자인은 무료인 미리캔버스, 캔바(Canva), 유료인 망고보드에서 만들길 바란다. PPT에서 책 표지 디자인을 퀄리티(Quality) 있게 제작하려면 PPT실력이 상급은 되어야 한다.
PPT실력이 마우라면 필자처럼 유료인 망고보드에서 퀄리티(Quality)있는 디자인을 전문가처럼 만들 수 있다.

《300만원 동기부여 강의》 책으로 책날개 디자인을 하나씩(①번 ~ ⑤번 제작) 만들었다는 가정 하에 설명하겠다.

PPT에서 표지 날개 디자인

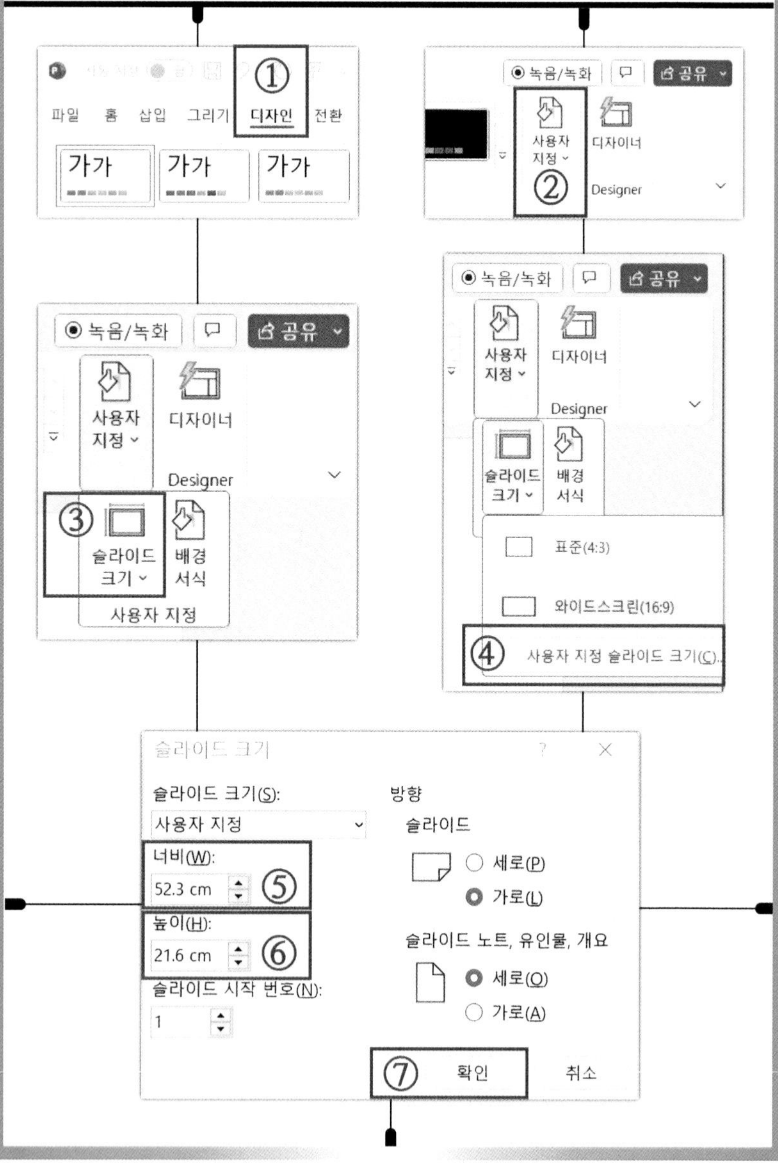

① 디자인
② 사용자 지정
③ 슬라이드 크기
④ 사용자 지정 슬라이드 크기
⑤ 너비 52.30cm (책 표지 날개 전체 너비 5,230mm)
⑥ 높이 21.6cm (책 표지 날개 전체 높이 2,160mm)
⑦ 확인 누르면 너비 52.30cm * 높이 21.6cm의 슬라이드 박스가 생긴다.

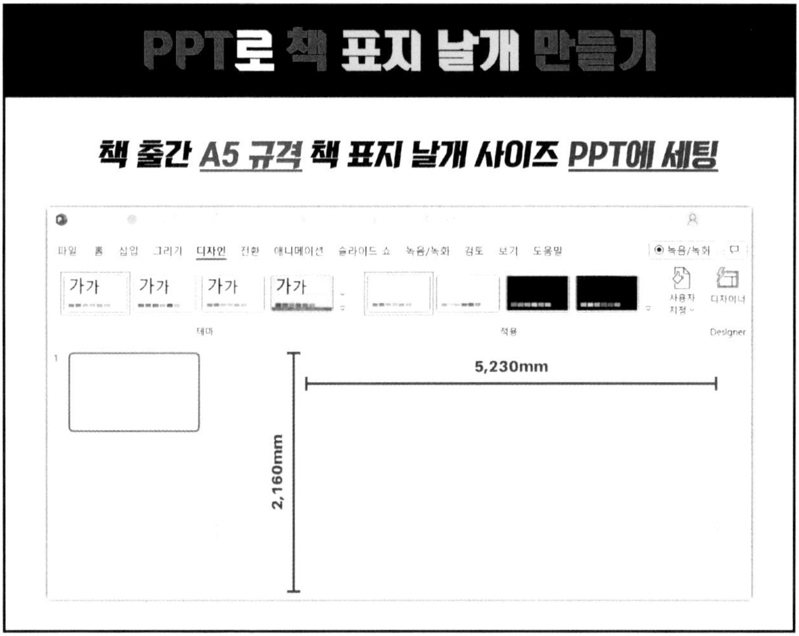

PPT에서 표지 날개 디자인

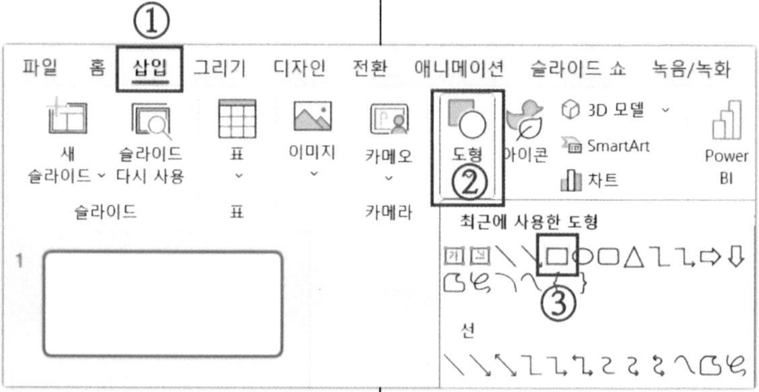

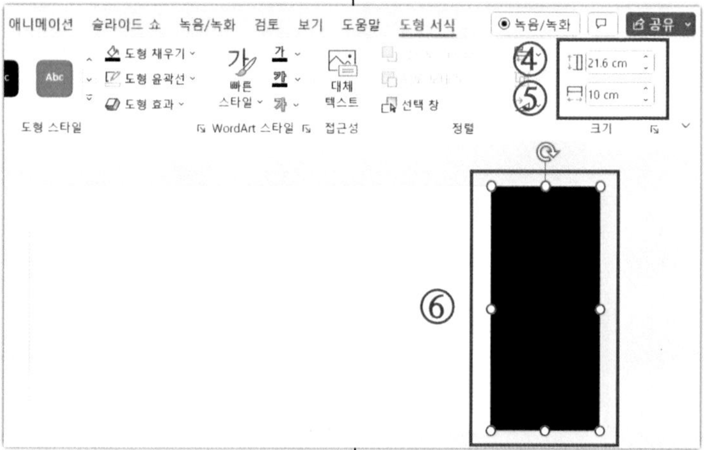

① 삽입

② 도형

③ 직사각형

④ 높이 (21.6cm)

⑤ 너비 (10cm)

⑥ 종이책 표지 날개(작가 소개, 작가 스펙, 책의 내공, 책의 가치, 책의 값어치)를 디자인할 수 있는 직사각형이 만들어진다.

PPT에서 표지 날개 디자인

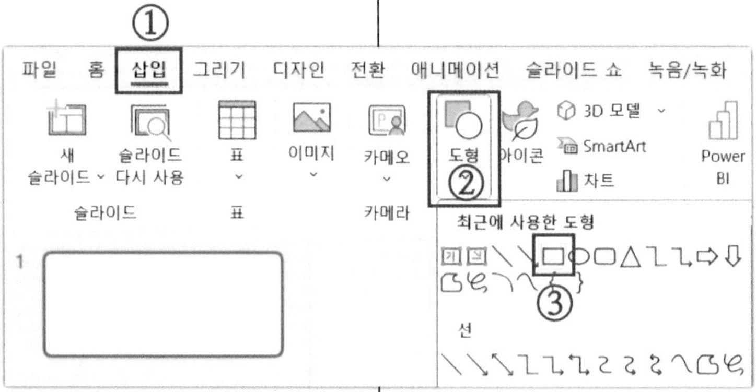

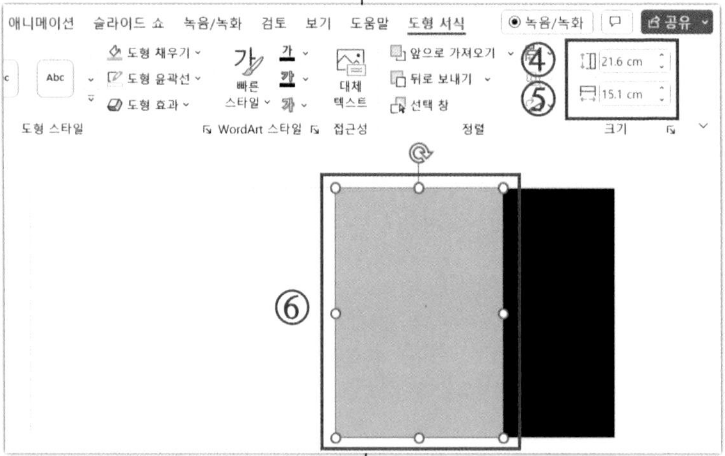

① 삽입

② 도형

③ 직사각형

④ 높이 (21.6cm)

⑤ 너비 (15.1cm)

⑥ 종이책 표지 날개의 앞표지(책 제목, 핵심 문구, 핵심 디자인, 다른 책과 다른 디자인)를 디자인할 수 있는 직사각형이 만들어진다.

PPT에서 표지 날개 디자인

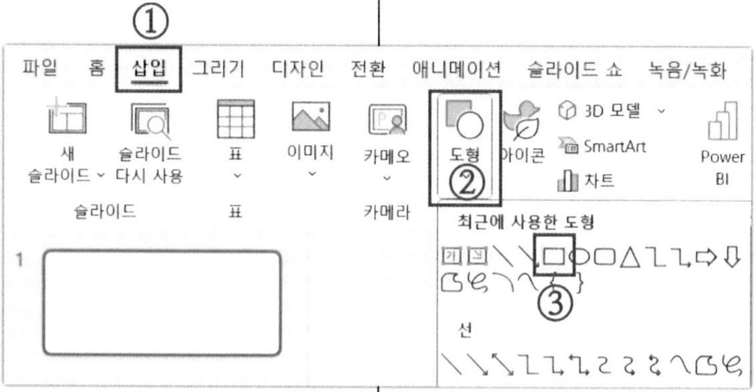

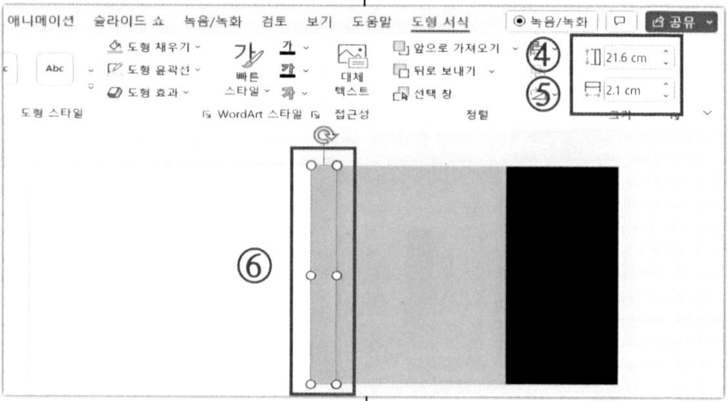

① 삽입

② 도형

③ 직사각형

④ 높이 (21.6cm)

⑤ 너비 (2.1cm)

⑥ 종이책 표지 날개의 책등(책 제목, 저자, 출판사 로고)을 디자인할 수 있는 직사각형이 만들어진다.

PPT에서 표지 날개 디자인

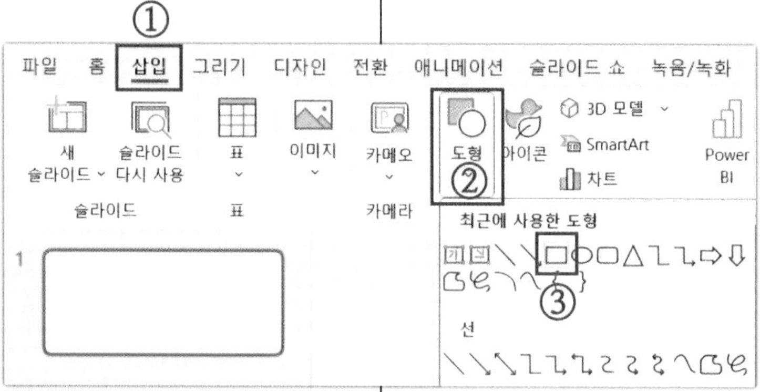

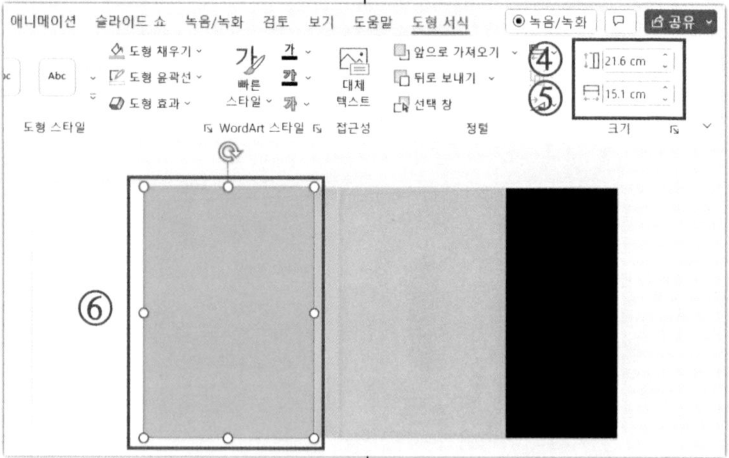

① 삽입
② 도형
③ 직사각형
④ 높이 (21.6cm)
⑤ 너비 (15.1cm)
⑥ 종이책 표지 날개의 표지 뒷면(앞면 표지 디자인 내용을 받쳐주는 디자인)을 디자인할 수 있는 직사각형이 만들어진다.

PPT에서 표지 날개 디자인

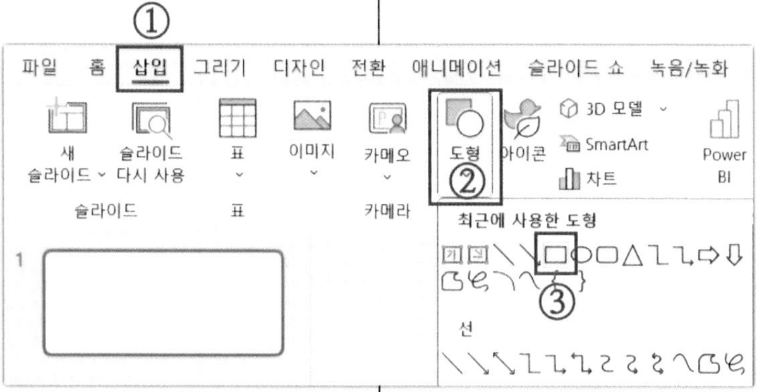

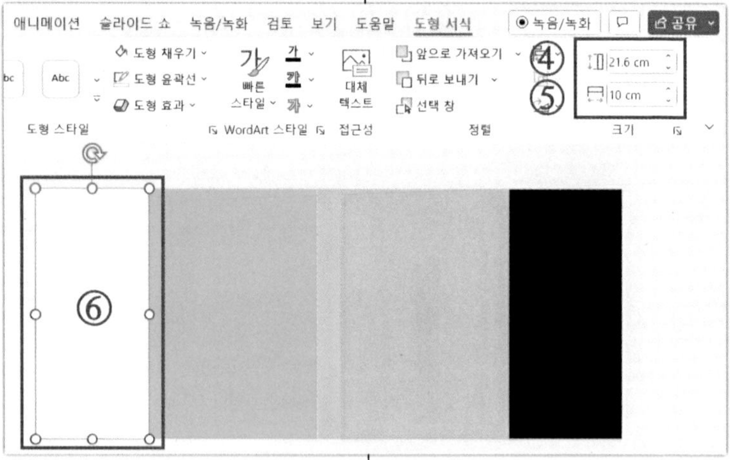

① 삽입

② 도형

③ 직사각형

④ 높이 (21.6cm)

⑤ 너비 (10cm)

⑥ 종이책 뒷면 표지 날개(책의 가치를 높여주는 디자인)를 디자인할 수 있는 직사각형이 만들어진다.

PPT에서 표지 날개 디자인

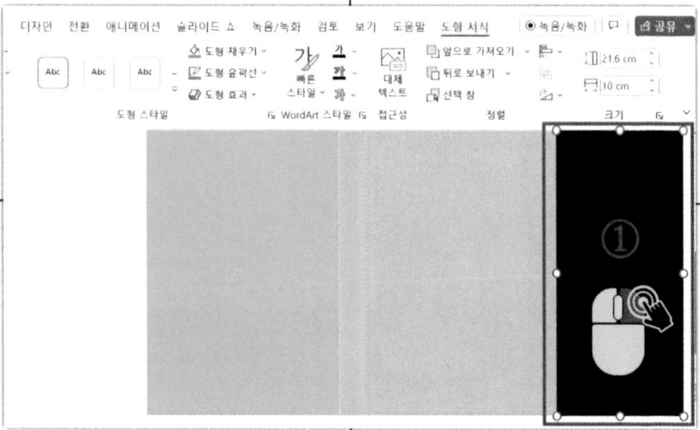

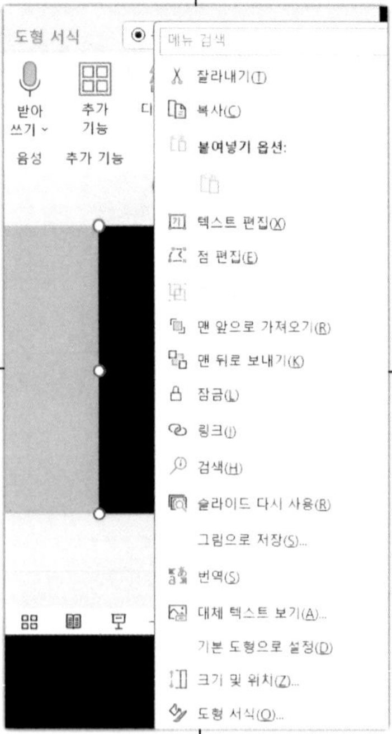

① 책날개 표지 도형을 클릭하고 오른쪽 마우스를 클릭한다.
② 크기 및 위치.

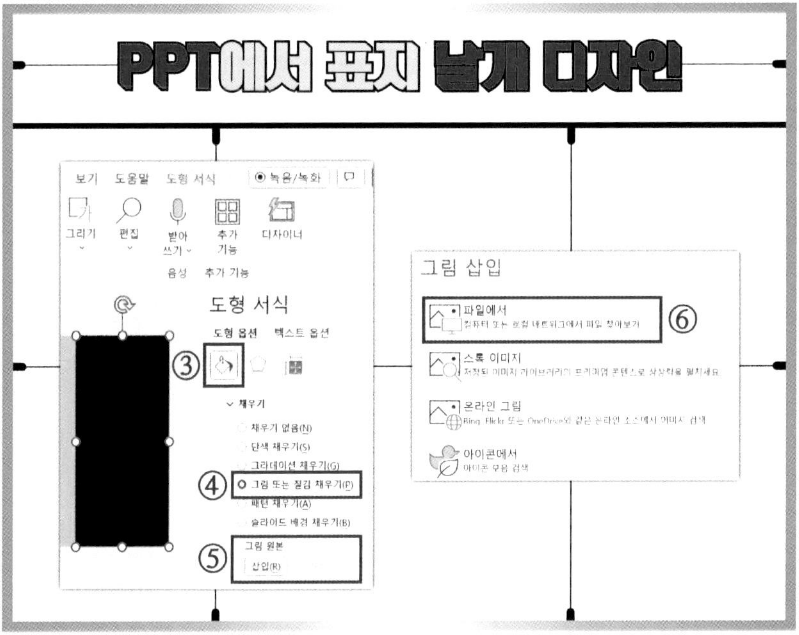

③ 채우기 및 선
④ 그림 또는 질감 채우기
⑤ 삽입
⑥ 파일에서(컴퓨터 또는 로컬 네트워크에서 파일 찾아보기. #. 책 앞면 표지 만들었던 폴더에서 이미지 삽입.

PPT에서 표지 날개 디자인

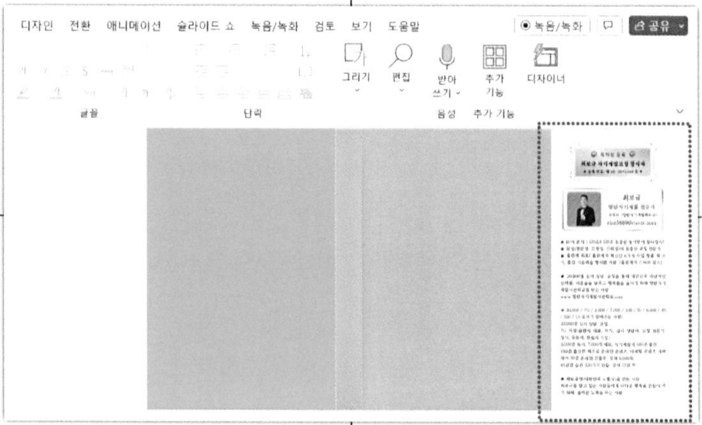

쉬운 것도 모르면
우주에서 가장 어려운 것이 되고
알고 나면
우주에서 가장 쉬운 것이 된다.
80억 분의 1 검증된 전문가
(종이책 150권, 전자책 250권 총 400권 출간)
"우주 최초 우주 책임감!"
150년 a/s, 관리, 피드백
방탄book기술력 코칭
150년 a/s, 관리, 피드백 받으세요!
저거다! 방탄book기술력
Google 자기계발아마존
YouTube 방탄자기계발
NAVER 방탄book출판사
NAVER 최보규

PPT에서 표지 날개 디자인

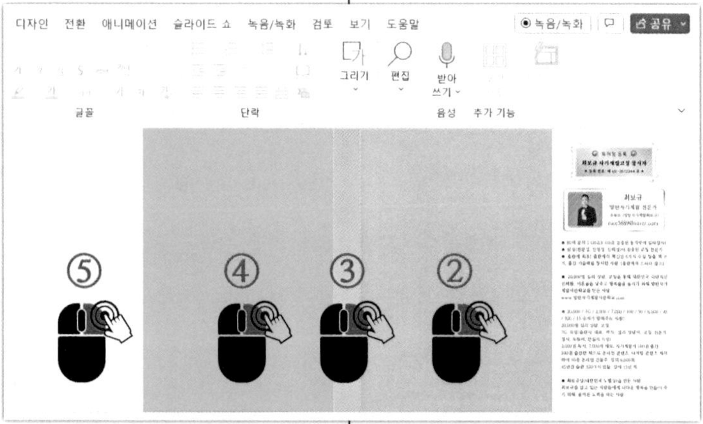

앞에서 동일한 방법으로 ②, ③, ④, ⑤또한 똑같은 방법으로 책날개 표지 도형을 클릭하고 오른쪽 마우스를 클릭 → 크기 및 위치 → 채우기 및 선 → 그림 또는 질감 채우기 → 삽입 → 파일에서(컴퓨터 또는 로컬 네트워크에서 파일 찾아보기. #. 책 앞면 표지 만들었던 폴더에서 이미지 삽입.

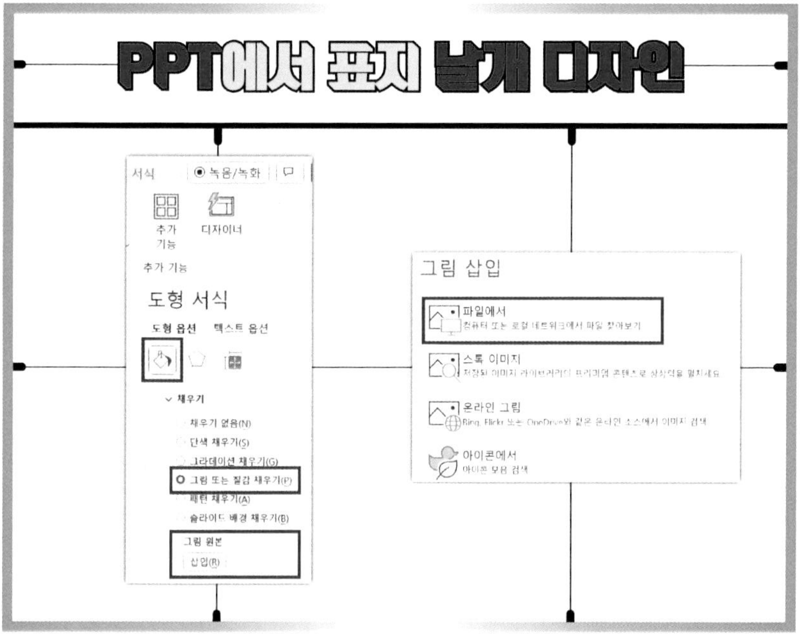

ppt에서 책 표지 날개 디자인을 완료했다면 이제는 인쇄용 이지지로 다운로드를 해야 한다. 부크크출판사에 등록을 할 때 인쇄용 이미지 300dpi로 다운로드를 해서 등록을 해야지만 승인이 된다. ppt기본 해상도는 96dpi로 설정되어 있어서 인쇄 품질에 맞지가 않는다. 그래서 인쇄 기본 품질에 맞는 300dpi로 다운로드해야 한다.

다음으로 나오는 dpi 설명한 내용과 인쇄용 이미지 300dpi 다운로드하는 방법을 참고하자.

파워포인트 이미지 해상도, 크기 설정 방법

웹용 이미지 72dpi

(유튜브 썸네일, 상세페이지, 커뮤니티 게시판 등)

(단위: Pixrl)

인쇄용 이미지 300dpi

(명함, 라벨, 액자, 머그컵, 현수막 등.)

(단위: mm 또는 cm)

PPI = Pixel Per Inch - 디스플레이에서 사용

DPI = Dot Per Inch - 프린터 스캐너 등에서 사용

표현은 다르지만 보통 같은 단위로 사용됩니다.

<유튜브 PPT 디자인, 중중이는 작업중>

ppt 해상도 고화질 설정 및 파워포인트 이미지 저장.

파워포인트는 기본 해상도가 96dpi로 설정되어 있습니다. 인쇄용 이미지인 300dpi로 저장하는 방법을 알려드리겠습니다.

1. 윈도우키 + R 버튼을 누르면 실행 창을 띄운다.

2. regedit 이라고 입력하고 확인.

3. 레지스트리 편집 창이 뜨면

HKEY_CURRENT_USER 선택

4. SOFTWARE > Microsoft > Office > 파워포인트 숫자에 따른 버전 선택(파워포인트 2016 버전이면 16.0으로 나온다.) > Powerpoint > Options

5. Options(옵션)누르면 창이 나온다.
마우스 우클릭 후 새로 만들기에서 DWORD(32비트) 값(D) 선택
6. 마우스 우클릭 이름 바꾸기.
ExportBitmapResolution 입력.
#. 대문자와 소문자 똑같이 입력.
7. ExportBitmapResolution에 마우스 우클릭을 하고 10진수를 선택한 후 300이라는 값 입력. 창 닫기.

<네이버 블로그 With PPT 요모조모>

위에 설명을 듣고 한 번에 따라 하는 사람들은 마우(마우스만 움직일 줄 아는 우주 초보)가 아닐 것이다. 하지만 우리 마우들은 아무리 쉬워도 우주에서 가장 어려운 것이 되어 버린다. 하지만 걱정 말아라! 필자가 누구인가? 세계 최초로 방탄book기술력을 창시한 전문가이다. 필자도 마우 시절이 있었고 20,000명 심리 상담, 코칭하면서 알게 된 마우들의 고충을 알고 있다. 그 누구보다 마우들의 아픔, 힘듦을 알기에 유치원생들도 알 수 있는 이미지로 설명을 해주겠다. 그래서 이 책 보는 사람이라면 천재일우(천 년에 한 번 만난다는 뜻으로 좀처럼 만나기 어려운 기회) 온 것이니 조상에서 감사하고 “내가 인생을 지금까지 잘 살아서 이런 기회가 오는 구나”라는 마음으로 제대로 배우길 바란다.

20,000명 심리 상담, 코칭으로
알게 된 사람들이 바라는 6가지 시스템!

1

커피숍에서 지인과
대화 중에도 돈이
입금되는 시스템?

2

자고 있는데
돈을 버는 시스템?

3

여행 중에도 돈이
입금되는 시스템?

4

사무실, 직원이
필요 없는 시스템?

5

건물주처럼
월세가
입금되는 시스템?

6

집에서 댕댕이와
휴식하고 있는데 돈이
입금되는 시스템?

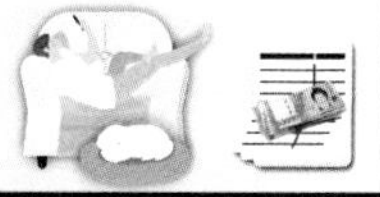

세계 최초! 출판계의 혁신!
돈이 들어오는 6가지 시스템을
가능하게 하는 것이

방탄book기술력!

평균 희망 은퇴 73세, 현실 은퇴 나이 49세!
100세 시대 언제까지 몸(노동)으로만
일해서 돈을 벌 것인가?
세상, 현실 기준에서 스펙, 돈, 인맥, 자산 등이 없어서 100세까지 노동을 해야 되고 몸까지 아프면 더 답이 없는 상황! 젊을 때는 100가지 중 99가지를 할 수 있지만 나이 들면 100가지 중 99가지를 할 수 없다. 3고 시대, AI 시대, 챗GPT 시대에 자신의 직업이 사라 질 수 있는 상황에서 어떻게 준비, 대비할 것인가?
방탄BOOK기술력
선택이 아닌 필수!
세계 최초
방탄 BOOK 기술력
Google 자기계발아마존
YouTube 방탄자기계발
NAVER 방탄BOOK
NAVER 최보규

대한민국 99%가 책 쓰기, 출간하는 방법만
교육, 코칭 한다!
6가지 수입 창출 책 쓰기, 출간 기술력을
교육, 코칭 하는 곳은 **방탄book뿐이다.**

방법을 알면 1권 출간하고 끝이지만
방탄book기술력을 알면
10권, 100권, 1.000권... 도 가능하다.

인쇄용 이미지 해상도 300dpi 설정

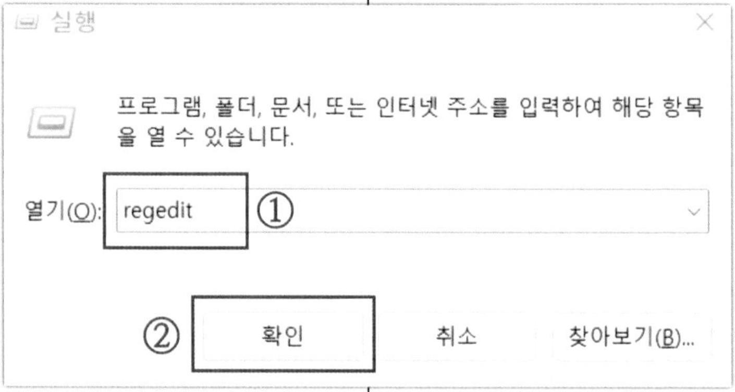

#. 윈도우키 + R 버튼을 누르면 실행 창을 띄운다.

① regedit 이라고 입력.

② 확인.

③ HKEY_CURRENT_USER → SOFTWARE → Microsoft → Office → 파워포인트 숫자에 따른 버전 선택(파워포인트 2016 버전이면 16.0으로 나온다.) → Powerpoint → Options

인쇄용 이미지 해상도 300dpi 설정

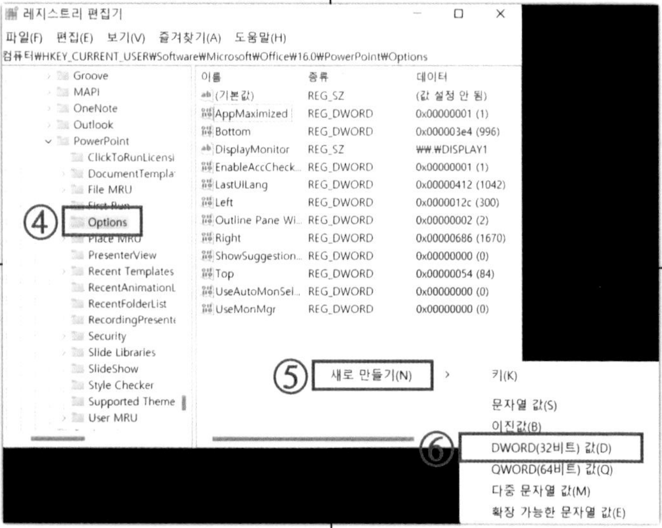

④ Options

⑤ 마우스 우클릭 후 새로 만들기

⑥ DWORD(32비트) 값(D) 선택

⑦ 마우스 우클릭 이름 바꾸기.

ExportBitmapResolution 입력.

#. 대문자와 소문자 똑같이 입력.

인쇄용 이미지 해상도 300dpi 설정

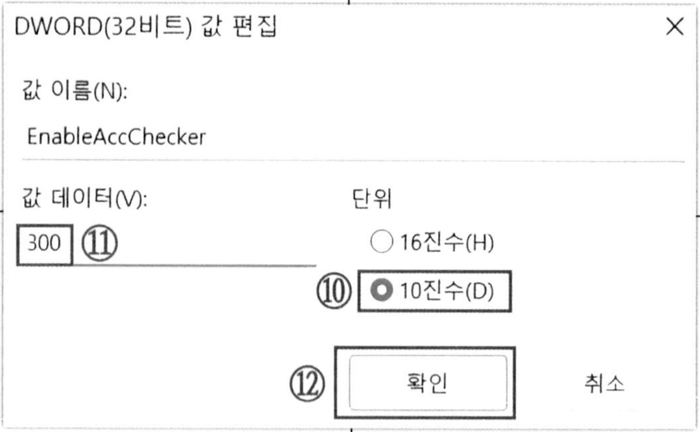

⑧ ExportBitmapResolution에 마우스 우클릭

⑨ 수정

⑩ 10진수 체크

⑪ 300입력

#. PPT에서 → 파일 → 다른 이름으로 저장 → 이PC → 파일 형식에서 JPEG 파일 교환 형식 → 저장하면 인쇄용 이미지인 300dpi가 만들어진다.

5장. PPT로 전자책(PDF) 만들기 매뉴얼

움직이지 않아도 수입을 발생시킬 수 있는 것이 전자책이다. 자는 동안에도 수입이 발생한다. 여행 중에도 수입이 발생한다. 커피숍에서 지인들과 수다를 떨고 있을 때도 수입이 발생한다. 장거리 운전 중에도 수입이 발생한다. 월세, 연금성 수입을 발생시키는 전자책은 선택이 아닌 필수다. 이제 당신도 PPT로 전자책을 5분 안에 만들 수 있다.

PPT로 전자책 만들기
300만원
동기부여 강의
BOOKK

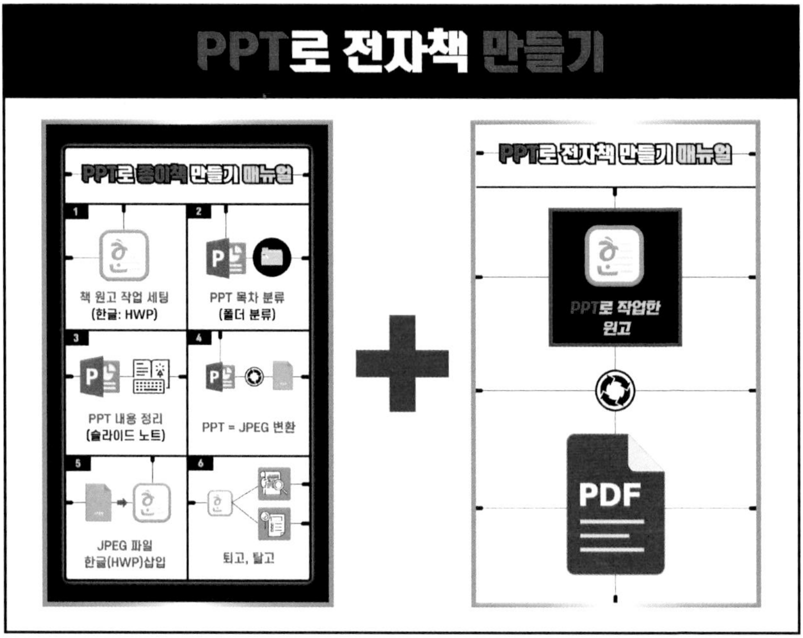

PPT로 전자책을 만드는 순서는 PPT 종이책 만들기 매뉴얼 6단계로 작업한 원고로 전자책을 출판사에 등록할 PDF 원고를 만들 수 있다.

▶ PPT로 전자책 만들기 순서.

① 책 원고 작업 세팅.
(한글(HWP)에 종이책 기본 규격 세팅)

② PPT에 있는 목차 개수에 맞게 PPT 나누기.
(예시: 목차 1 ~ 목차 5 / PPT 5개)

③ 슬라이드 한 장씩 내용 정리하기.
(슬라이드 노트의 내용에 내용 설명 정리)

④ PPT를 JPEG 파일로 변환.
(PPT를 이미지 파일로 변환)
⑤ JPEG 파일을 한글(HWP)에 정리한 내용(슬라이드 노트 내용)과 함께 삽입.
⑥ 퇴고, 탈고.
(종이책 출간을 위한 최종 점검)
⑦ 퇴고, 탈고가 끝난 한글 원고(HWP)를 PPT로 변환하여 전자책(PDF) 원고 만들기.

PPT로 작업한 원고를 만들면 종이책 출간, 전자책(PDF)을 출간해서 수입을 극대화할 수 있다는 것이다.

▶ 당신은 어떤 것을 선택할 것인가?

1. 종이책만 출간한다. (1가지 수입만 발생)
2. 전자책(PDF)만 출간한다. (1가지 수입만 발생)
3. 종이책, 전자책(PDF)을 동시에 출간한다. (2가지 수입과 방탄book기술력과 연결을 하면 6가지 수입까지 발생시킬 수 있다.)

그 누구에게 물어봐도 3번을 선택할 것이다. 종이책만 출간할 때보다 전자책을 같이 출간을 하면 여러 가지 수입과 연결을 시킬 수 있다. PPT로 작업한 한글 원고를 전자책(PDF)으로 변환하는 매뉴얼 설명을 시작한다.

20,000명 심리 상담, 코칭으로 알게 된 사람들이 바라는 6가지 시스템!

1

커피숍에서 지인과 대화 중에도 돈이 입금되는 시스템?

2

자고 있는데 돈을 버는 시스템?

3

여행 중에도 돈이 입금되는 시스템?

4

사무실, 직원이 필요 없는 시스템?

5

건물주처럼 월세가 입금되는 시스템?

6

집에서 댕댕이와 휴식하고 있는데 돈이 입금되는 시스템?

세계 최초! 출판계의 혁신!
돈이 들어오는 6가지 시스템을 가능하게 하는 것이

방탄book기술력!

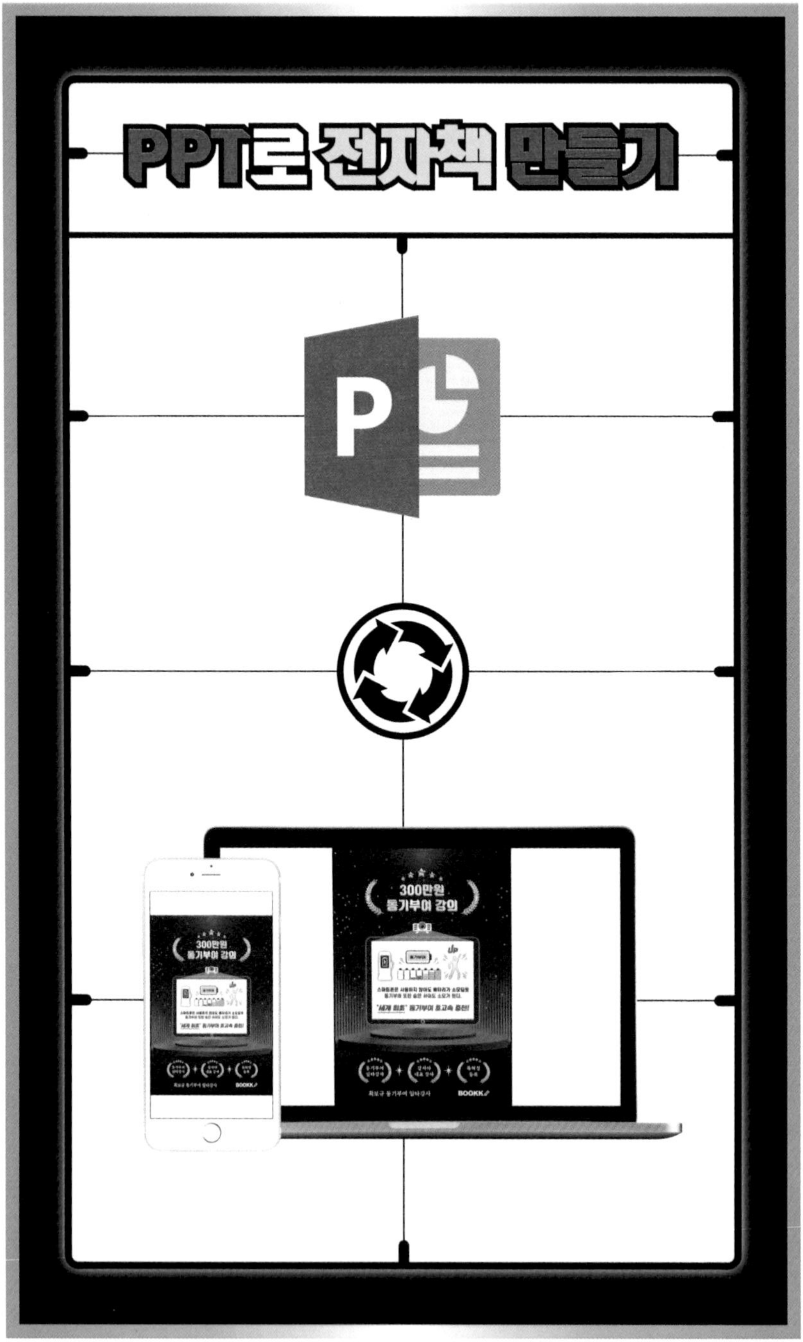
PPT로 전자책 만들기
300만원
동기부여 강의
BOOKK

PPT로 전자책 만들기 매뉴얼

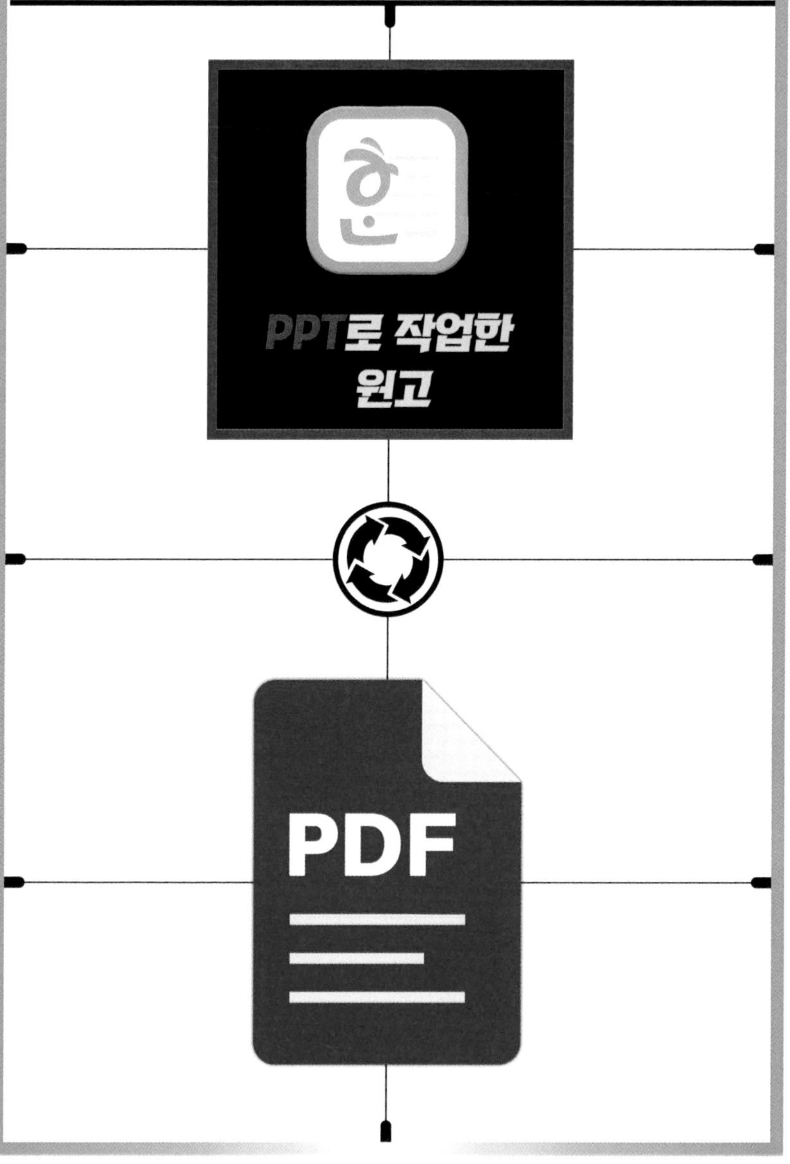

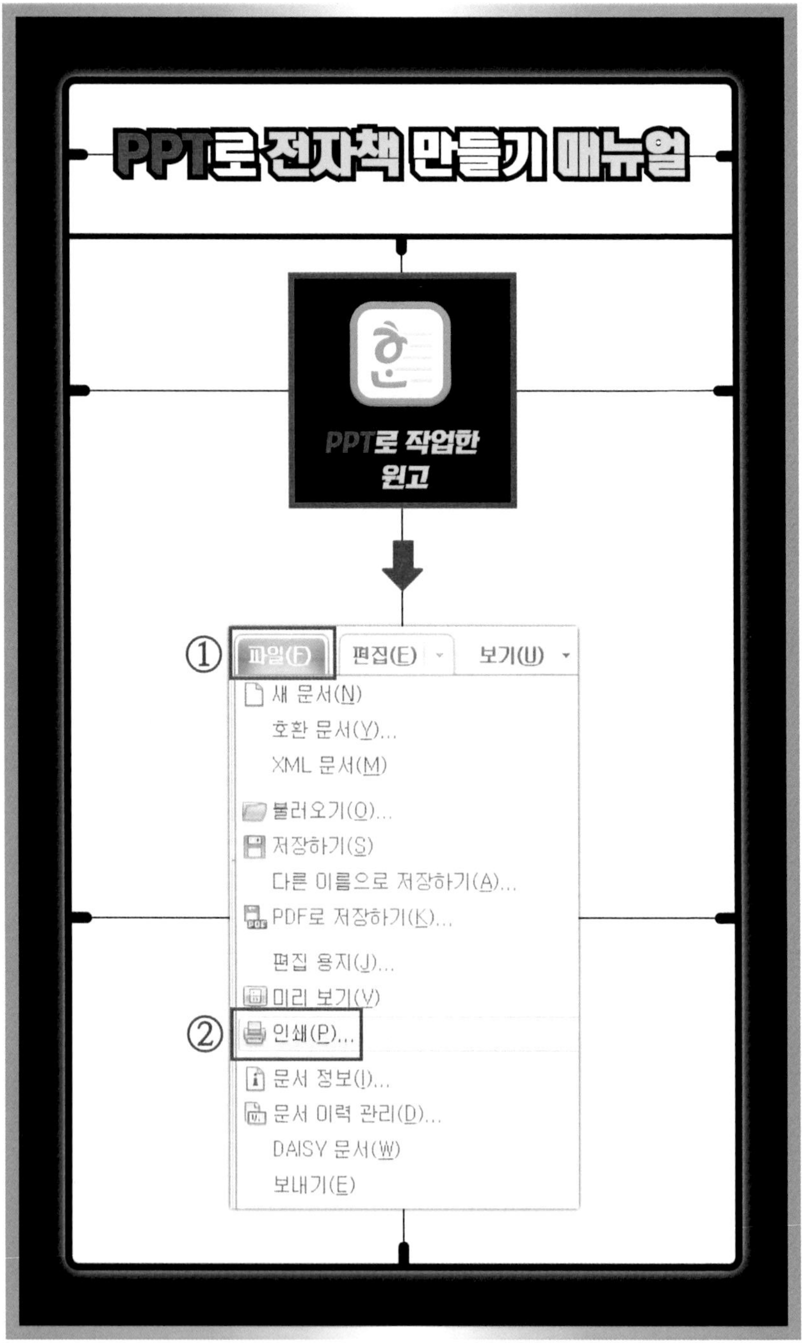
PPT로 전자책 만들기 매뉴얼
PPT로 작업한 원고
①
파일(F)
편집(E)
보기(U)
새 문서(N)
호환 문서(Y)...
XML 문서(M)
불러오기(O)...
저장하기(S)
다른 이름으로 저장하기(A)...
PDF로 저장하기(K)...
편집 용지(J)...
미리 보기(V)
②
인쇄(P)...
문서 정보(I)...
문서 이력 관리(D)...
DAISY 문서(W)
보내기(E)

① 한글(HWP)프로그램 파일. PPT로 작업한 한글 파일 원고에서 파일을 클릭.

② 인쇄. 바로 PDF로 저장하는 것이 아니다. 그 이유는 원고 작업이 끝난 뒤 탈고, 퇴고를 하기 위해서 모아찍기(2쪽씩)로 원고 전체 인쇄를 하여 오타 체크를 했기에 모아찍기(2쪽씩)가 아닌 기본 인쇄로 바꿔줘야만 PDF로 저장 했을 때 한 장에 2페이지가 아닌 한 장에 1페이지씩 나온다.

전자책(PDF)등록 할 때 한 장에 2페이지씩 나오면 승인되지 않는다. 전자책(PDF)은 한 장에 1페이씩 나와야 한다.

PPT로 전자책 만들기 매뉴얼

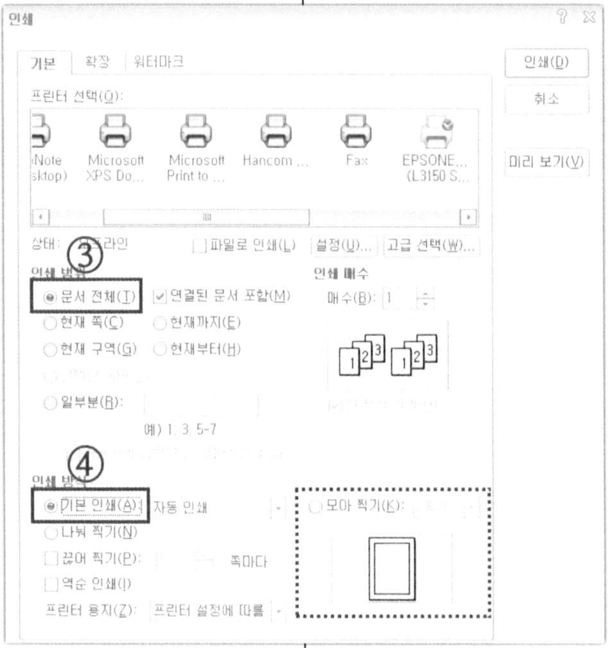

③ 문서 전체.

④ 기본 인쇄. 모아 찍기(2쪽씩)로 체크 되어 있으면 기본 인쇄로 체크한다.

PDF로 저장을 하기 전에 인쇄에 들어가서 모아 찍기가 아닌 기본 인쇄로 해야만 출판사에 전자책 등록이 된다. 처음부터 사소한 것을 잘 지켜야만 시행착오를 줄일 수 있다.

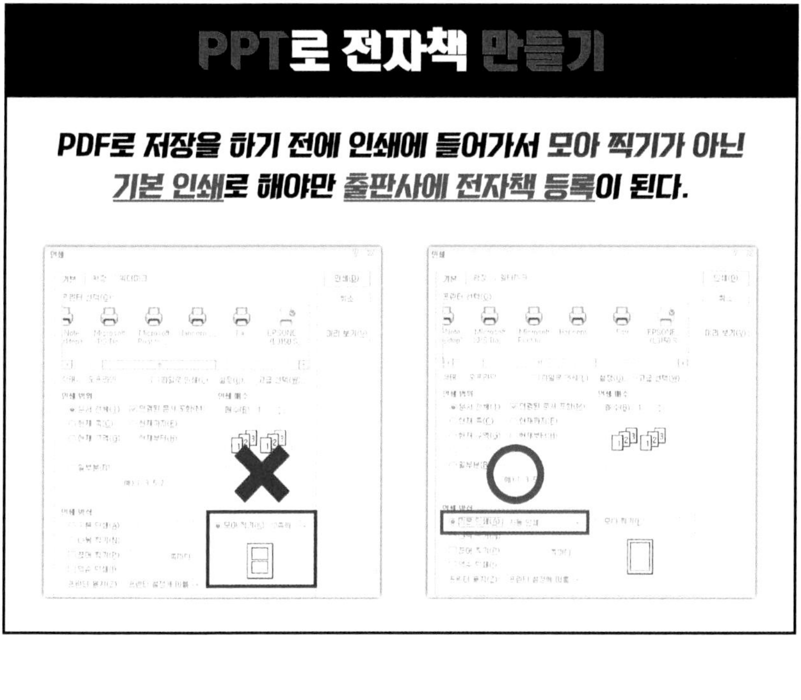

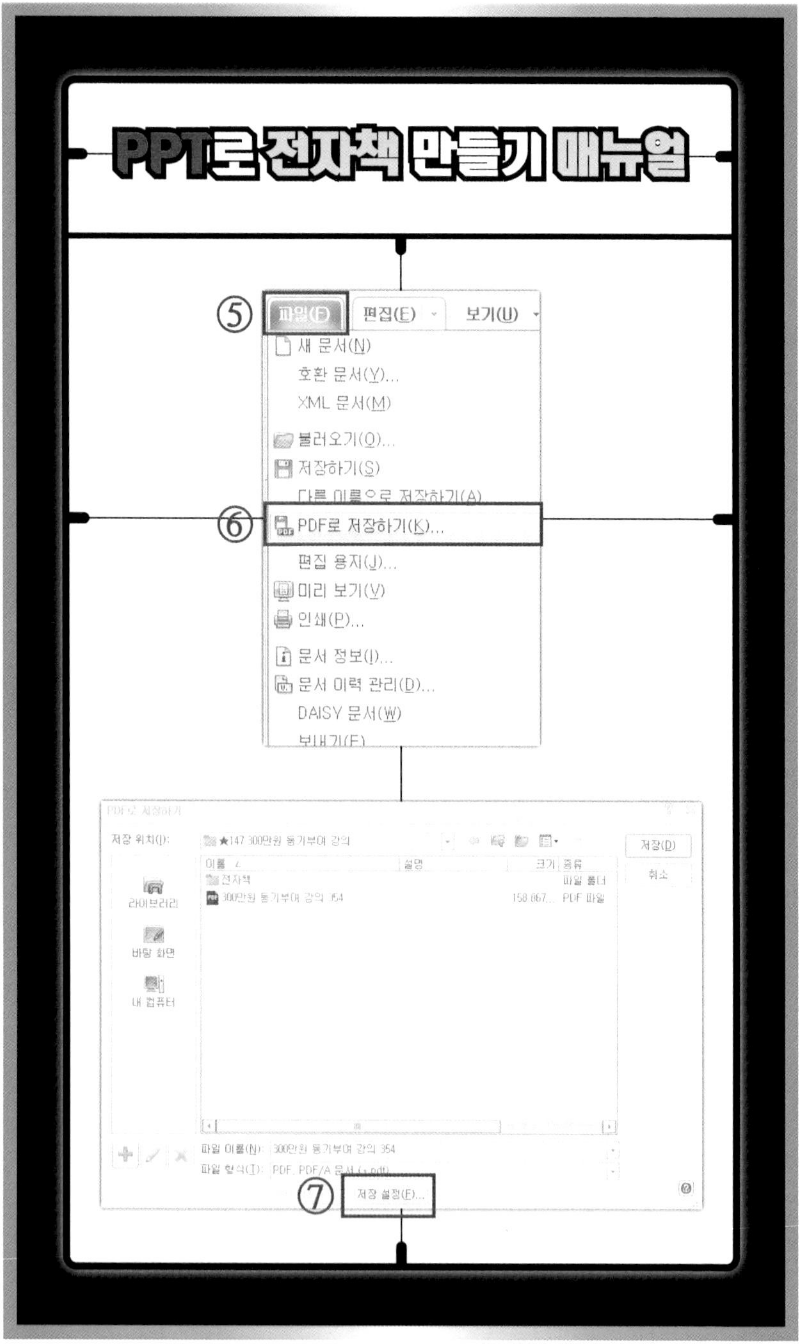
PPT로 전자책 만들기 매뉴얼
⑤
파일(F)
편집(E)
보기(U)
새 문서(N)
호환 문서(Y)...
XML 문서(M)
불러오기(O)...
저장하기(S)
⑥
PDF로 저장하기(K)...
편집 용지(J)...
미리 보기(V)
인쇄(P)...
문서 정보(I)...
문서 이력 관리(D)...
DAISY 문서(W)
저장 위치(I):
저장(D)
취소
이름
설명
크기
종류
전자책
파일 폴더
PDF 파일
라이브러리
바탕 화면
내 컴퓨터
파일 이름(N):
파일 형식(T):
⑦
저장 설정(E)...

⑤ 파일.

⑥ PDF로 저장하기.

⑦ 저장 설정.

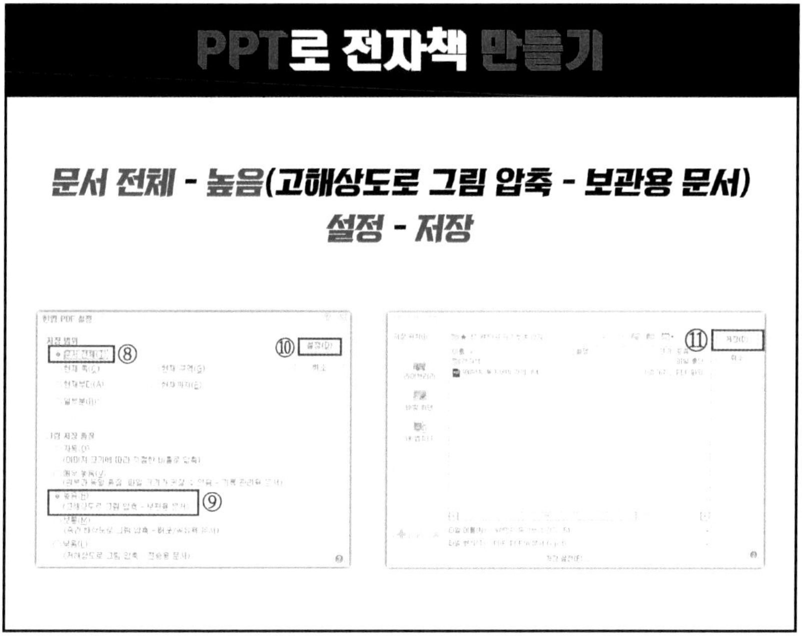

⑧ 문서 전체.

⑨ 높음(고해상도로 그림 압축 - 보관용 문서).

높음으로 저장하면 전자책(PDF)파일 용량이 늘어난다. 전자책(PDF)은 PC, 노트북, 스마트폰으로 보기 때문에 선명도가 낮으면 안 된다.

⑩ 설정.

⑪ 저장.

① ~ ⑪까지 진행하면 전자책을 취급하는 출판사에 등록할 수 있는 전자책(PDF) 원고를 완성한 것이다. 한번 만들어 놓은 전자책(PDF) 원고를 활용해서 21세기 황금알을 낳는 거위라는 무인 자동 시스템을 만들 수 있다.

전자책(PDF)으로
움직이지 않아도 수입을 발생 시킬 수 있다면?
자는 동안에도 수입이 발생한다면?
여행 중에도 수입이 발생한다면?
커피숍에서 지인들과 수다를 떨고 있을 때도 수입이 발생한다면?
장거리 운전 중에도 수입이 발생한다면?
월세, 연금성 수입을 발생시키는 전자책은 선택이 아닌 필수다.

은퇴 준비, 노후 준비가 될 수 있는 전자책 등록 매뉴얼 시작한다.

대한민국 99%가 책 쓰기, 출간하는 방법만 교육, 코칭 한다!

책 쓰기, 출간 기술력을 교육, 코칭 하는 곳은 방탄book뿐이다.

방법만 배우면 돈이 계속 나가지만 기술력을 배우면 돈은 계속 들어온다.

6장. 전자책 등록 매뉴얼

누군가는 전자책 1권 제작하여 1가지 수입만 올리는데 누군가는 전자책 1권 제작으로 6가지 수입을 발생시킨다. 무슨 차이일까?
방탄book기술력이 있느냐, 없느냐 차이이다. 6가지 수입을 창출하는 전자책 등록 매뉴얼 마스터로 은퇴 준비, 노후 준비, 연금 준비를 할 수 있다. 때를 기다릴 것인가? 때를 만들어 갈 것인가!

20,000명 심리 상담, 코칭으로
알게 된 사람들이 바라는 6가지 시스템!
1
커피숍에서 지인과
대화 중에도 돈이
입금되는 시스템?
2
자고 있는데
돈을 버는 시스템?
3
여행 중에도 돈이
입금되는 시스템?
4
사무실, 직원이
필요 없는 시스템?
5
건물주처럼
월세가
입금되는 시스템?
6
집에서 댕댕이와
휴식하고 있는데 돈이
입금되는 시스템?
세계 최초! 출판계의 혁신!
돈이 들어오는 6가지 시스템을
가능하게 하는 것이
방탄book기술력!

쉬운 것도 모르면
우주에서 가장 어려운 것이 되고
알고 나면
우주에서 가장 쉬운 것이 된다.
80억 분의 1 검증된 전문가
(종이책 150권, 전자책 250권 총 400권 출간)
"우주 최초 우주 책임감!"
150년 a/s, 관리, 피드백
방탄book기술력 코칭
150년 a/s, 관리,
피드백 받으세요!
저거다!
방탄book기술력
Google 자기계발아마존
YouTube 방탄자기계발
NAVER 방탄book출판사
NAVER 최보규

전자책 출판사 등록 매뉴얼
유페이퍼
①
분류 신규 인기 추천 대여 할인 다운 페이퍼
[최보규] 검색어 콘텐츠 149
300만원 동기부여 강의
리더의 방탄 소통 7
리더의 방탄 소통 6
리더의 방탄 소통 5

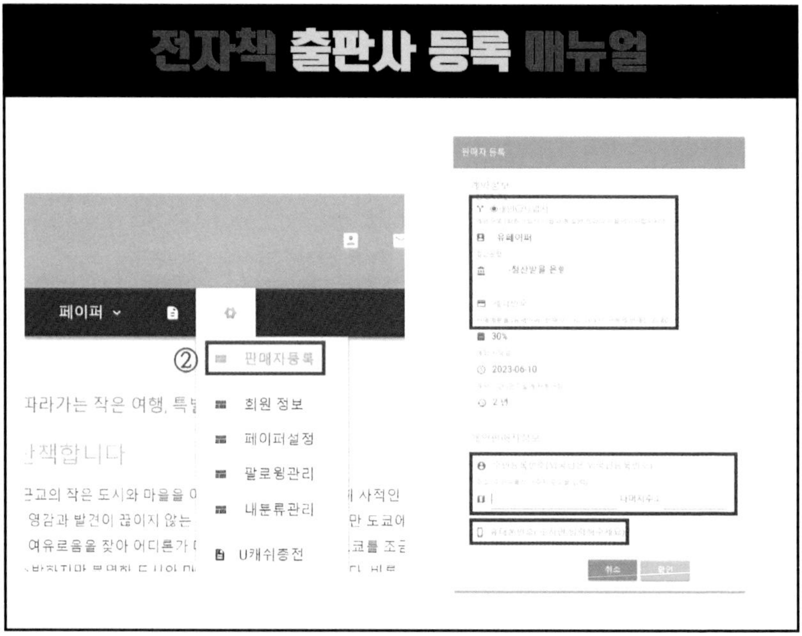
전자책 출판사 등록 매뉴얼
페이퍼
②
판매자등록
회원 정보
페이퍼설정
팔로윙관리
내분류관리
U캐쉬충전
판매자 등록
유페이퍼
정산받을 은행
30%
2023-06-10
2년
취소
확인

① 로그인. 회원가입 후 로그인

② 판매자 등록. 전자책을 판매하기 위해서 판매자 등록을 해야 한다. 개인 또는 사업자는 출판사를 보유하고 있거나, 사업자등록증을 보유한 경우에만 사업자를 선택하면 된다. 이름, 정산 받을 은행, 계좌번호(이름과 계좌번호 일치)입력하면 된다.

판매 배분율.

콘텐츠를 판매 후 기본 수익쉐어 배분율로 30%를 유페이퍼가 가지며, 70%를 정산해 준다.
판매자가 기간 구독제를 만들어 판매한 경우는 유페이퍼 20%, 판매자 80% 정산을 해준다.
유페이퍼에 판매 등록되는 콘텐츠는 국내외 전자책 제휴사에 자동 전송되어 판매가 이루어지는데 제휴사 판매분은 제휴사 배분율에 따라 차이가 있으나 기본적으로 이런 경우 유페이퍼에서는 10%를 수익으로 한다. 예를 들면 제휴사에서 30%를 수익으로 하고 유페이퍼에 70%를 넘겨주면 이중 유페이퍼 수익은 10%, 판매자 수익은 60%가 된다. 즉 제휴사 : 유페이퍼 : 판매자는 3:1:6의 구조가 된다.

계약 시작일, 계약기간

신청 당일 날짜로 판매자 전환하면 곧바로 콘텐츠를 판

매 등록 가능하다. 계약기간은 별도 요청이 없으면 만기일에 해당 기간만큼 자동 연장된다.

주민등록번호, 주소 입력, 휴대폰 번호.

주민등록번호와 주소가 추후 정산료 지급 때 소득세 3%, 주민세 0.3% 국세청으로 신고 들어가기에 주민번호와 주소가 불명확하면 정산 지급이 된다.

③ 콘텐츠 등록. 홈에서 톱니바퀴를 클릭하면 콘텐츠 등록이 나온다.

④ 전자책 등록. 등록할 전자책 세부적인 내용을 등록할 수 있는 페이지로 이동한다.

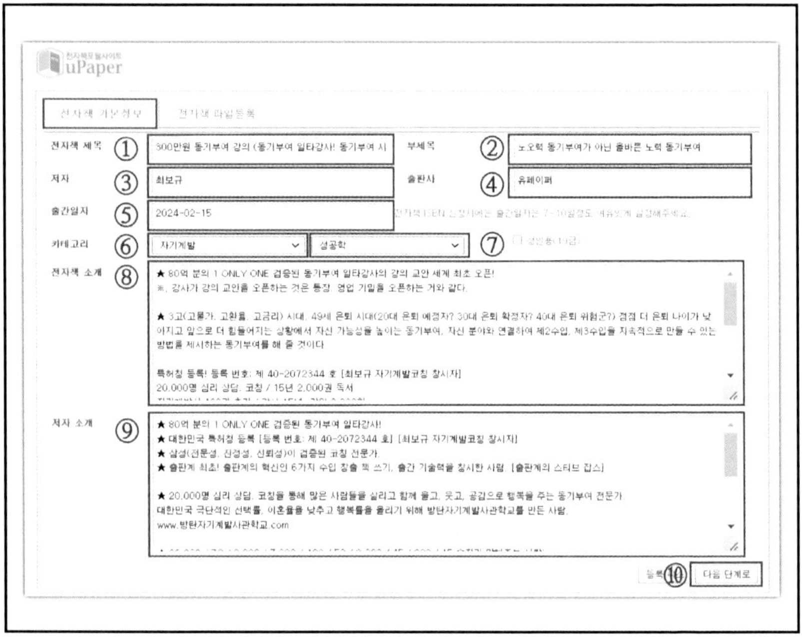

① 전자책 제목. 300만원 동기부여 강의 (동기부여 일타강사! 동기부여 사용 설명서!)

② 부제목. 노오력 동기부여가 아닌 올바른 노력 동기부여

③ 저자. 최보규

④ 출판사. 유페이퍼

⑤ 출간 일자. 2024. 01.17

(전자책 ISBN 신청시에는 출간 일자는 7~10일 정도로 여유 있게 설정을 한다.) 전자책 등록일로부터 1주일 뒤로 설정하면 된다. 예)전자책 등록일 2024. 01. 10이면 2024. 01. 17

⑥ 1차 카테고리. 자기계발
⑦ 2차 카테고리. 성공학
⑧ 전자책 소개.

★ 80억 분의 1 ONLY ONE 검증된 동기부여 일타강사의 강의 교안 세계 최초 오픈!

※. 강사가 강의 교안을 오픈하는 것은 통장, 영업 기밀을 오픈하는 거와 같다.

★ 3고(고물가, 고환율, 고금리) 시대, 49세 은퇴 시대(20대 은퇴 예정자? 30대 은퇴 확정자? 40대 은퇴 위험군?) 점점 더 은퇴 나이가 낮아지고 앞으로 더 힘들어지는 상황에서 자신 가능성을 높이는 동기부여, 자신 분야와 연결하여 제2수입, 제3수입을 지속적으로 만들 수 있는 방법을 제시하는 동기부여를 해 줄 것이다.

특허청 등록! 등록 번호: 제 40-2072344 호 [최보규 자기계발코칭 창시자]

20,000명 심리 상담, 코칭 / 15년 2,000권 독서

자기계발서 100권 출간 / 강사 15년, 강의 6,000회

7G 직업 (출판사 대표, 작가, 심리 상담사, 코칭 전문가, 강사, 유튜버, 한집의 가장)

45년간 습관 320가지 만듦...

많은 경력과 시행착오, 대가 지불, 인고의 시간을 통해 알게 된 동기부여를 세계 최초로 공개한다.

★ 어떤 강의에서도 말하지 못한 동기부여!
★ 어떤 강사도 말하지 못한 동기부여!
★ 어떤 책에도 없는 동기부여!
★ 어떤 영상에서도 볼 수 없는 내용의 동기부여!

⑨ 저자 소개.

★ 80억 분의 1 ONLY ONE 검증된 동기부여 일타강사!
★ 대한민국 특허청 등록 [등록 번호: 제 40-2072344호] [최보규 자기계발코칭 창시자]
★ 삼성(전문성, 진정성, 신뢰성)이 검증된 코칭 전문가.
★ 출판계 최초! 출판계의 혁신인 6가지 수입 창출 책 쓰기, 출간 기술력을 창시한 사람. [출판계의 스티브 잡스]
★ 20,000명 심리 상담, 코칭을 통해 많은 사람들을 살리고 함께 울고, 웃고, 공감으로 행복을 주는 동기부여 전문가.
대한민국 극단적인 선택률, 이혼율을 낮추고 행복률을 올리기 위해 방탄자기계발사관학교를 만든 사람.
www.방탄자기계발사관학교.com
★ 20,000 / 7G / 2,000 / 7,000 / 100 / 50 / 6,000 / 45 / 320 / 15 숫자가 말해주는 사람!
20,000명 심리 상담, 코칭.

7G 직업(출판사 대표, 작가, 심리 상담사, 코칭 전문가, 강사, 유튜버, 한집의 가장)
2,000권 독서. 7,000개 메모. 자기계발서 100권 출간.
100권 출간한 책으로 온라인 콘텐츠, 디지털 콘텐츠 제작하여 50층 온라인 건물주.
강의 6,000회. 45년간 습관 320가지 만듦. 강사 15년차.
★ 최보규상(대한민국 노벨상)을 만든 사람.
최보규를 알고 있는 사람들에게 나다운 행복을 만들어 주기 위해 올바른 노력을 하는 사람.

⑩ 다음 단계로. 전자책 원고 파일, 표지 파일 등록, 목차 등록 창으로 이동한다.

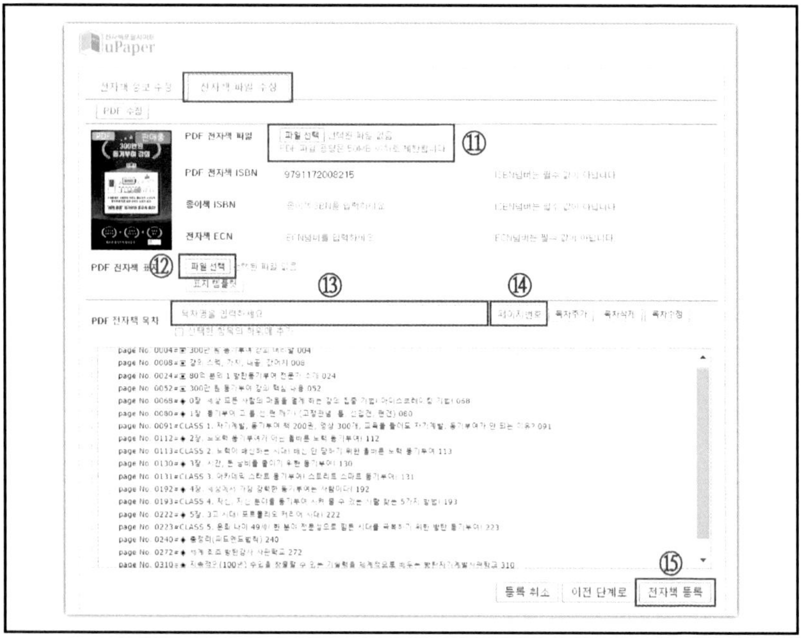

⑪ PDF 전자책 파일. **파일 선택을 클릭을 한 다음 전자책(PDF)등록 할 파일을 업로드하면 된다.**

(PDF 파일 용량은 50MB 이하로 제한되다.)

PDF원고 용량이 50MB가 넘을 때는 알PDF 프로그램에서 압축(PDF 최적화)을 하면 된다. 네이버에서 무료인 알PDF 다운로드하면 된다.

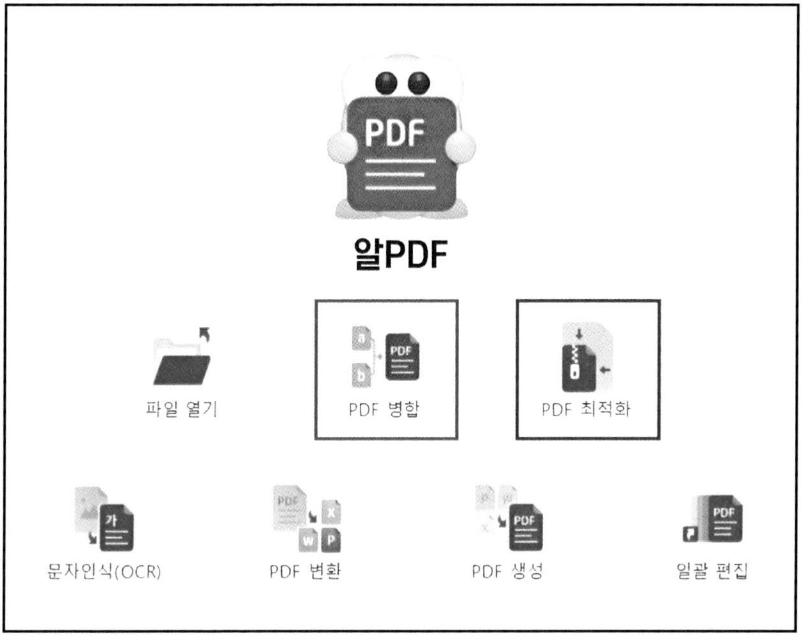

#. 원고 등록 할 때 중요사항.

PDF원고 첫 장은 유페이퍼 로고가 들어간 책 표지가 들어가야 되고 PDF원고 마지막 페이지에는 판권지에 책 가격이 들어가야 한다. 전자책 표지 제작을 PDF로 다운로드 한 다음 전자책 원고와 알PDF 프로그램에서 PDF병합을 한다.

전자책(PDF) 첫 페이지 유페이퍼 로고 들어간 표지

전자책(PDF) 판권지

300만원 동기부여 강의
(동기부여 일타강사! 동기부여 사용 설명서!)

발 행 | 2024년 01월 10일
저 자 | 최보규
편 집 | 서윤희
디자인 | 최보규
마케팅 | 최보규
펴낸이 | 최보규
펴낸곳 | 방탄자기계발사관학교/방탄북(BOOK)출판사
출판사등록 | 2022.10.24.(제391-2022-000026호)
이메일 | nice5889@naver.com
가 격 | 10,000원

ISBN |

www.방탄book.com
ⓒ 최보규 2024
본 책은 저작자의 지적 재산으로서 무단 전재와 복제를 금합니다.

354

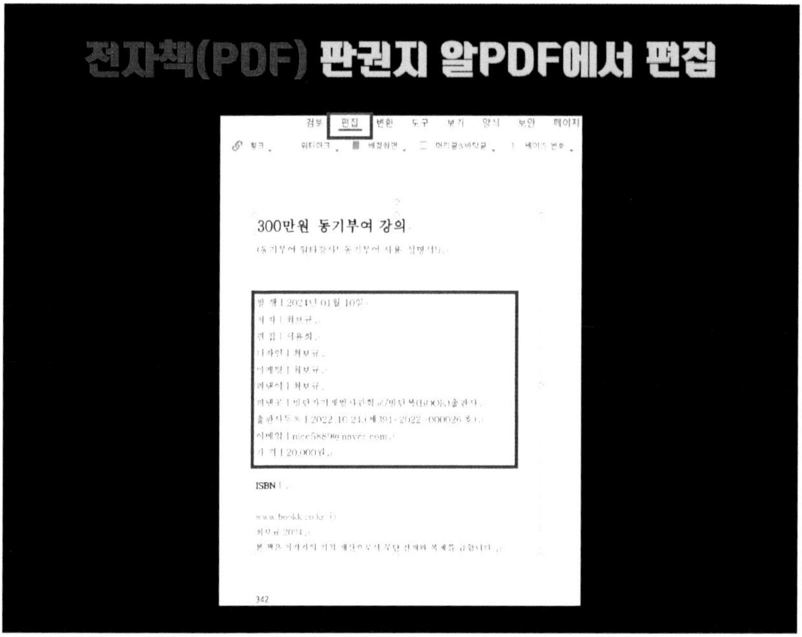
전자책(PDF) 판권지 알PDF에서 편집
검토 편집 변환 도구 보기 양식 보안 페이지
300만원 동기부여 강의
ISBN
342

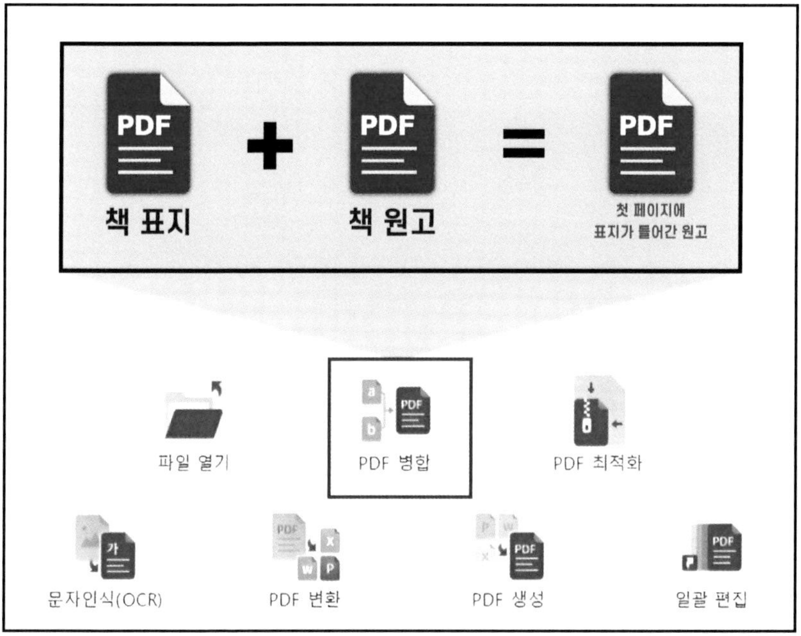
PDF
책 표지
PDF
책 원고
PDF
첫 페이지에
표지가 들어간 원고
파일 열기
PDF 병합
PDF 최적화
문자인식(OCR)
PDF 변환
PDF 생성
일괄 편집

⑫ PDF 전자책 표지. 파일 선택을 클릭을 한 다음 만들어 놓은 전자책 표지 등록.

#. 이미지 파일(jpg, gif, png)만 선택이 가능.

⑬ 목차 명 입력. 목차 명을 하나씩 입력해야 한다. 원고 작성한 한글에서 목차 전체를 복사한 다음 붙여넣기 하면 좋겠지만 프로그램 특성상 한 번에 붙여넣기가 되지 않는다. 목차 한 문장씩 복사해서 넣어야 된다.

⑭ 페이지 번호 입력. 전자책 페이지 번호를 입력한다.

⑮ 전자책 등록. 전자책 기본 정보 입력이 끝났다. 판매 신청을 하기 위한 단계로 넘어간다.

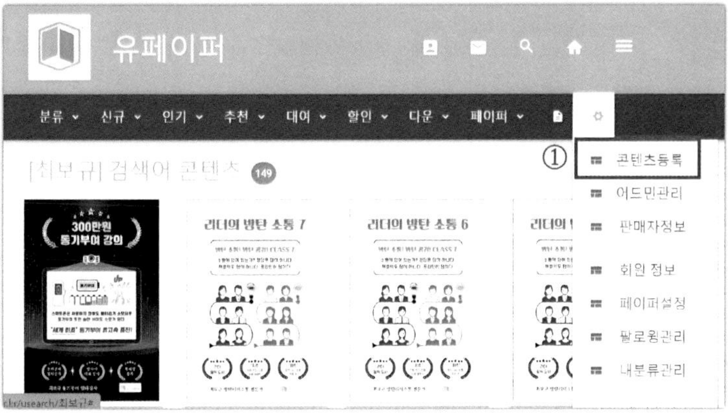

① 콘텐츠 등록. 메인 페이지에서 톱니바퀴에 있는 콘텐츠 등록으로 들어간다.

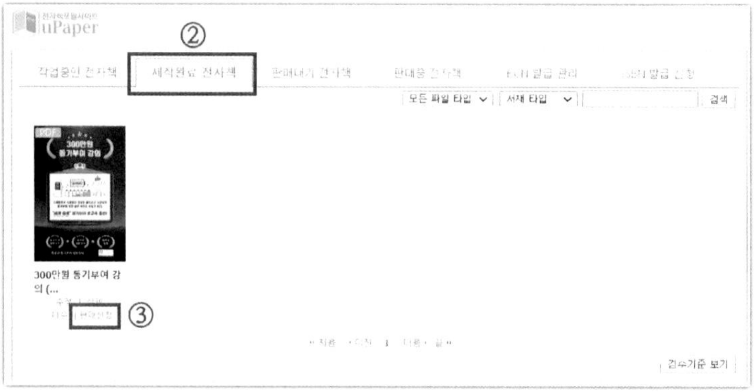

② 제작 완료 전자책. 제작 완료 전자책을 클릭한다.

③ 판매신청. 판매 신청으로 들어가면 책 가격 설정과 판매 제휴사 선택을 할 수 있다.

④ DRM. DRM 적용 할 때 UCASH 500씩 차감된다.

[Digital Rights Management] 디지털 콘텐츠의 무단 사용을 막아, 제공자의 권리와 이익을 보호해 주는 기술과 서비스를 통틀어 일컫는 말이다. 불법 복제와 변조를 방지하는 기술 등을 제공한다. 전자책 한 권 등록할 때

500원이 들어간다.

⑤ 판매 가격. 전자책 가격을 정한다. 500원 ~ 20,000원까지 설정할 수 있다. 전자책 평균 가격은 10,000원이다.

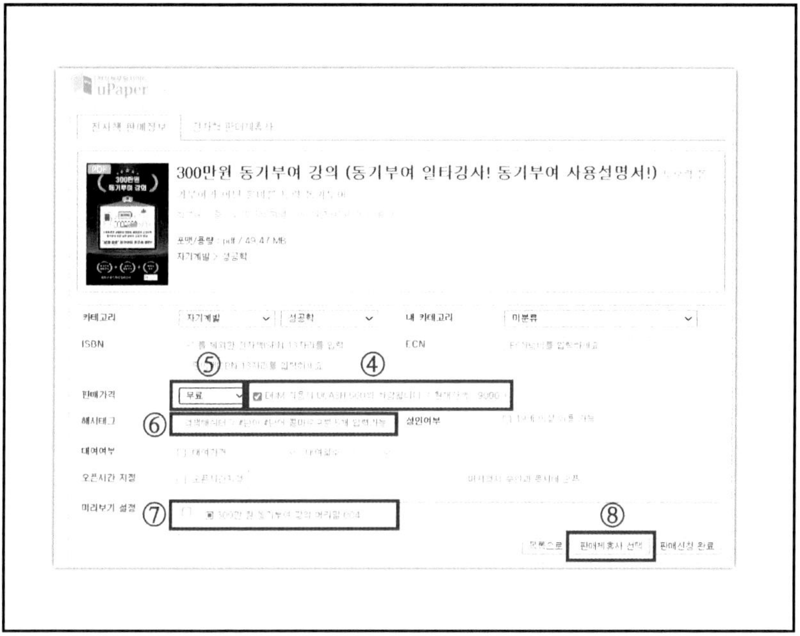

⑥ 해시태그. 검색 해시 태그를 5개까지 입력 가능하다.

⑦ 미리 보기 설정. 미리 보기 설정은 무료로 몇 페이지까지 오픈할 것인지를 설정하는 곳이다. 대부분 머리말, 목차까지 오픈을 한다.

⑧ 판매 제휴사 선택. 온라인 판매 제휴사 선택 페이지로 이동한다.

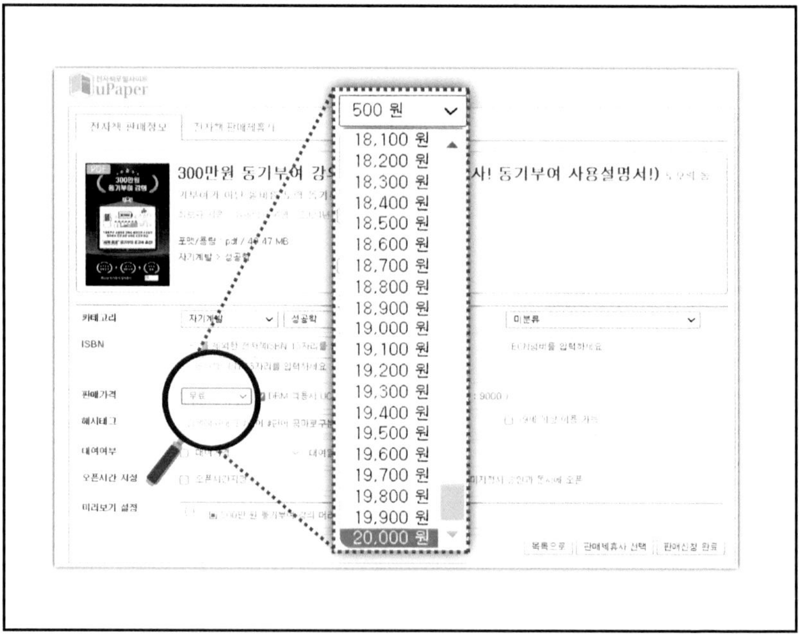

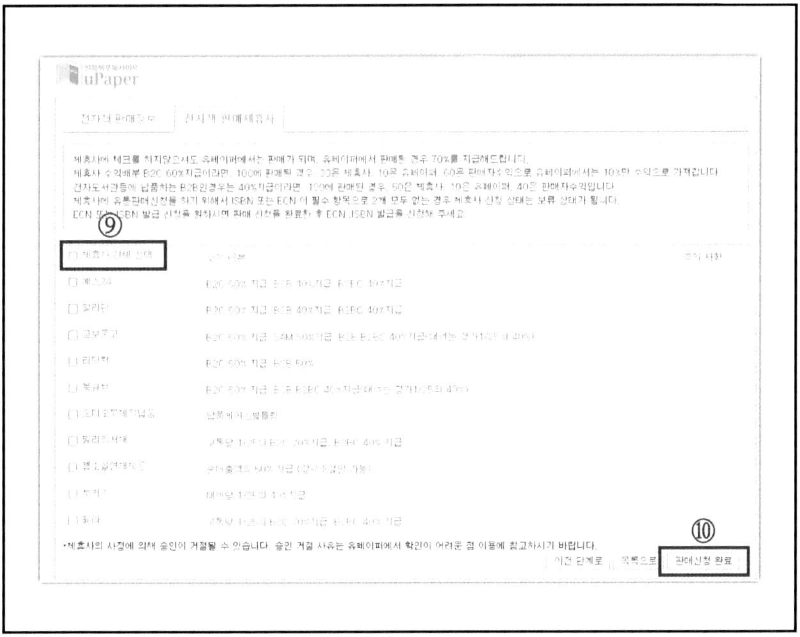

⑨ 제휴사 선택. 제휴사 전체 선택을 체크하면 제휴되어 있는 전체 제휴사가 선택된다.

⑩ 판매 신청 완료. 판매 신청을 클릭하면 마지막 단계인 책의 주민등록번호인 ISBN 발급 신청을 할 수 있다.

⑪ ISBN 발급 신청 페이지로 이동하기 위해서 홈페이지 메인화면으로 이동 후 콘텐츠 등록 클릭.

⑫ ISBN 발급 신청 카테고리 클릭.

⑬ 등록한 전자책 체크.

⑭ ISBN 발급 신청 클릭.

uPaper
⑫
작업중인 전자책
제작완료 전자책
판매대기 전자책
판매중 전자책
ECN 발급 관리
ISBN 발급 신청
모든 파일 타입
서재 타입
검색
300만원 동기부여 강의
300만원 동기부여 강의 (...
검수기준 보기

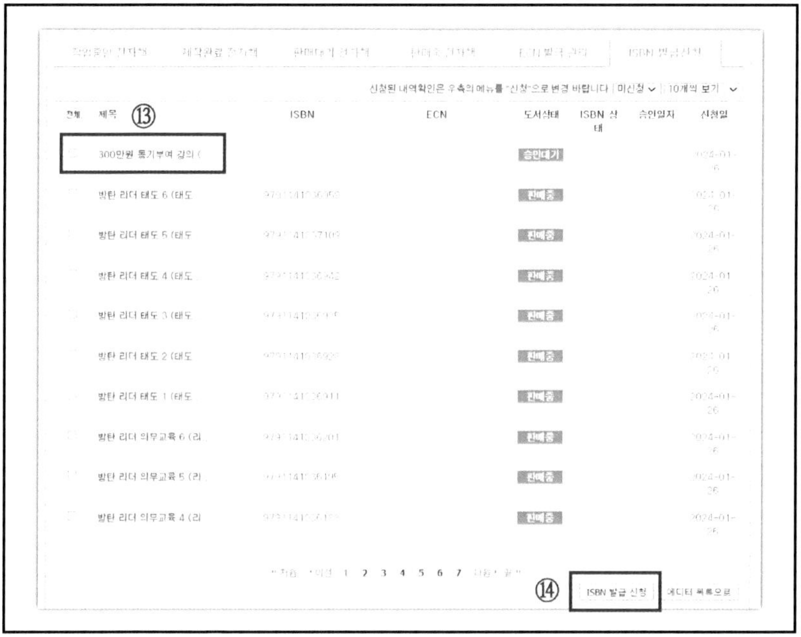
작업중인 전자책
제작완료 전자책
판매대기 전자책
판매중 전자책
ECN 발급 관리
ISBN 발급 신청
신청된 내역확인은 우측의 메뉴를 "신청"으로 변경 바랍니다
미신청
10개씩 보기
전체
제목
⑬
ISBN
ECN
도서상태
ISBN 상태
승인일자
신청일
300만원 동기부여 강의 (
승인대기
방탄 리더 태도 6 (태도
방탄 리더 태도 5 (태도
방탄 리더 태도 4 (태도
방탄 리더 태도 3 (태도
방탄 리더 태도 2 (태도
방탄 리더 태도 1 (태도
방탄 리더 의무교육 6 (리
방탄 리더 의무교육 5 (리
방탄 리더 의무교육 4 (리
판매중
1 2 3 4 5 6 7
⑭
ISBN 발급 신청
에디터 목록으로

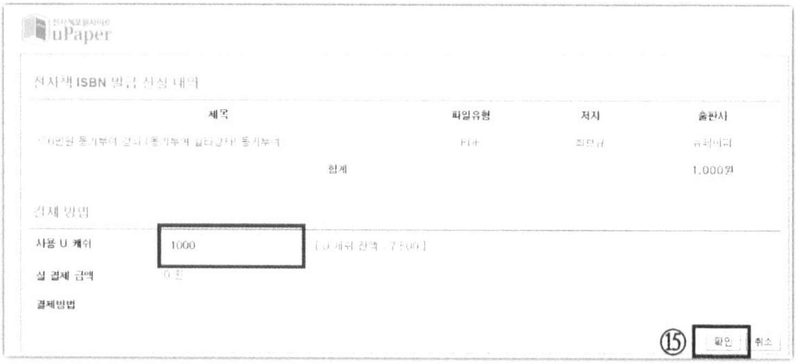
uPaper
제목
파일유형
저자
출판사
합계
1,000원
사용 U 캐쉬
1000
실 결제 금액
결제방법
⑮
확인
취소

콘텐츠등록
어드민관리
판매자정보
회원정보
페이퍼설정
팔로윙관리
내분류관리
U캐쉬충전
U쿠폰관리
내선물함
U캐쉬내역
구매내역
구독내역

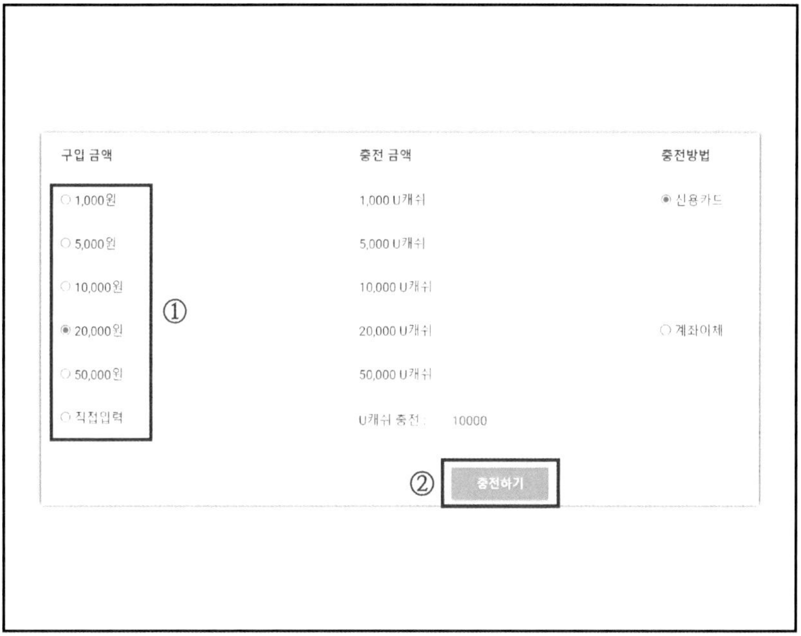

#. ISBN 발급 신청은 무료가 아니다. 한 권 신청 할 때 1,000원의 비용이 발생한다. 유페이퍼출판사의 U캐쉬가 있다면 ⑮확인만 누르면 되자만 U캐쉬가 없다면 충전을 해야 한다.

U캐쉬 충전을 하려면 홈페이지 메인화면에서 톱니바퀴 클릭하면 U캐쉬충전이 나온다. 기본 1,000원에서 50,000만 원까지 가능하다. 충전하기 누르면 결제 창이 뜨고 결제를 한 다음 ⑫번 ISBN 발급 신청을 하면 마무리가 된다. 심사, 승인은 2~3일 정도 걸린다.

- 심사, 승인 기준

표지

• 표지에 도서명, 저자명, 출판사명은 필수 요소입니다.

• 표지는 가로 700px / 세로 1000px 사이즈가 유페이퍼 뷰어에 적합하며, 가로 사이즈 기준으로 600px이상 1000px이내에서 설정해주시기 바랍니다.

• 성인 도서는 '19세 미만 구독 불가' 빨간 띠지 를 삽입해 주시기 바랍니다.

• EPUB과 PDF 모두 파일 첫 장에는 표지가 있어야 합니다.

판권

• EPUB, PDF 파일 내부에는 판권이 있어야 합니다.

• 도서명, 저자명, 출판사명, 출간일, 정가는 반드시 포함되어야 합니다.

• 판권은 독자의 가독성을 위해 가급적 도서 마지막에 설정해 주시기 바랍니다.

가격

• 도서 종류에 따라 가격 설정은 상이하나, 정가를 10,000원 이상으로 하시려면 글자 수 10만 자 이상, 7,000원 이상은 5만 자 이상의 분량이어야 합니다.

• 기존에 판매 중인 도서의 정가 인상은 기존 정가의

30% 내에서 가능합니다.

• 한국출판문화진흥원의 '도서정가제'를 참고해 주시기 바랍니다.

공통된 승인 거절 기준

• 이미 판매 중인 도서를 중복으로 판매 신청하면 승인이 거절됩니다.

• 미완성작, 편집이 덜 된 도서, 테스트 도서는 승인이 거절됩니다.

• 출판사가 아닌 개인인 경우, 출판사명이 '유페이퍼'여야 합니다. (출판사/인쇄사 검색 시스템)에 검색되지 않는 출판사명은 승인거절)

• 도서 소개, 저자 소개의 분량은 4000bytes 이내로 조정해 주시기 바랍니다.

참고사항

• 동일한 도서를 PDF와 EPUB으로 판매하실 경우, 도서명, 저자명, 정가 등이 동일해야 합니다.

• 등급과 가격 설정은 제공자의 책임과 권한이나. 판단에 따라 수정을 요청할 수 있습니다.

• 간행물윤리위원회(www.kpec.or.kr)의 <심의 대상 및 심의 기준>에 의거하여 승인을 거절하거나 수정요청을 할 수 있습니다.

• 직거래 제휴사를 중복 판매 신청하지 않게 주의해 주시기 바랍니다.

• 판매 중인 도서를 수정하여 재판 매신청 하시면 보름간의 판매대기 기간이 발생합니다.

판매 신청 하기 전 마지막으로 확인하기

• 표지는 제대로 들어가 있는가
• 목차의 이름은 제대로 들어가 있는가
• 판권의 내용은 올바르게 들어가 있는가
• 오탈자를 포함한 본문의 편집은 완료되었는가

<유페이퍼>

20,000명 심리 상담, 코칭으로 알게 된 사람들이 바라는 6가지 시스템!

1

커피숍에서 지인과 대화 중에도 돈이 입금되는 시스템?

2

자고 있는데 돈을 버는 시스템?

3

여행 중에도 돈이 입금되는 시스템?

4

사무실, 직원이 필요 없는 시스템?

5

건물주처럼 월세가 입금되는 시스템?

6

집에서 댕댕이와 휴식하고 있는데 돈이 입금되는 시스템?

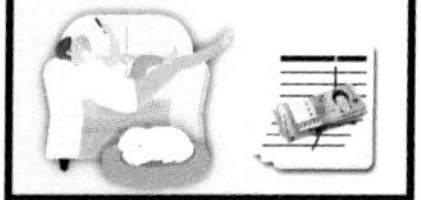

세계 최초! 출판계의 혁신!
돈이 들어오는 6가지 시스템을
가능하게 하는 것이

방탄book기술력!

대한민국 99%가 책 쓰기, 출간하는 방법만
교육, 코칭 한다!
6가지 수입 창출 책 쓰기, 출간 기술력을
교육, 코칭 하는 곳은 **방탄book뿐이다.**

방법만 배우면 돈이 계속 나가지만
방탄book기술력을 배우면
돈은 계속 들어온다.

PPT로 책 출간
PPT로 100년 수입 창출
책 쓰기, 책 출간
PPT로 책 출간 1
PPT로 책 출간 2
PPT로 책 출간 3
PPT로 책 출간 4
PPT로 책 출간 5
PPT로 책 출간 6
BOOKK

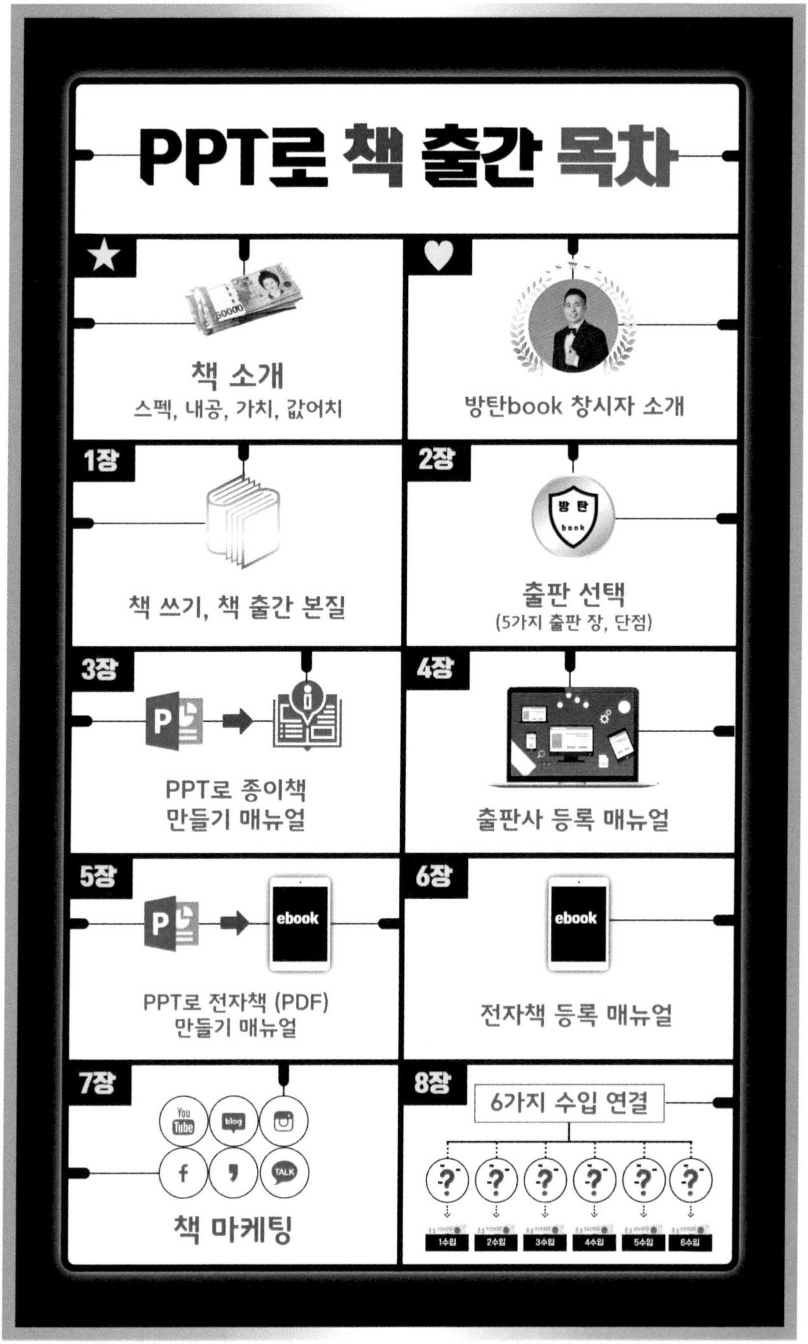
PPT로 책 출간 목차
책 소개
스펙, 내공, 가치, 값어치
방탄book 창시자 소개
1장
책 쓰기, 책 출간 본질
2장
방 탄
book
출판 선택
(5가지 출판 장, 단점)
3장
PPT로 종이책
만들기 매뉴얼
4장
출판사 등록 매뉴얼
5장
ebook
PPT로 전자책 (PDF)
만들기 매뉴얼
6장
ebook
전자책 등록 매뉴얼
7장
책 마케팅
8장
6가지 수입 연결
1수입
2수입
3수입
4수입
5수입
6수입

ONLY ONE
"80억 분의 1 검증된 전문가"
특허청 등록
최보규 자기계발코칭 창시자
등록 번호: 제 40-2072344 호
최보규 대표
상담, PT, 코칭, 강의, 컨설팅 문의
010-6578-8295
특허청 등록
최보규 리더동기부여 코칭전문가
등록 번호: 제 40-2128786 호
대한민국 강사 섭외 NO1 '강사야'
'강사야' "대표 일타 강사 최보규"
GANGSAYA
강사섭외
최보규
로그인
회원가입
전체분야
강사프로필
섭외문의
분야별특강
커뮤니티
추천강사
섭외문의무료등록
최보규강사
특허청 등록으로 검증된 강사!
방탄 동기부여/리더십/자기계발
동기부여/리더십/자기계발 업데이트!
저서 100권의 내공을 통한 세계 최초 1+4를 주는 가성비 강사!
(강의메세지+즐거움+스토리텔링+실천 사용 설명서 제공)
Google 자기계발아마존
YouTube 방탄자기계발
NAVER 강사야
NAVER 최보규

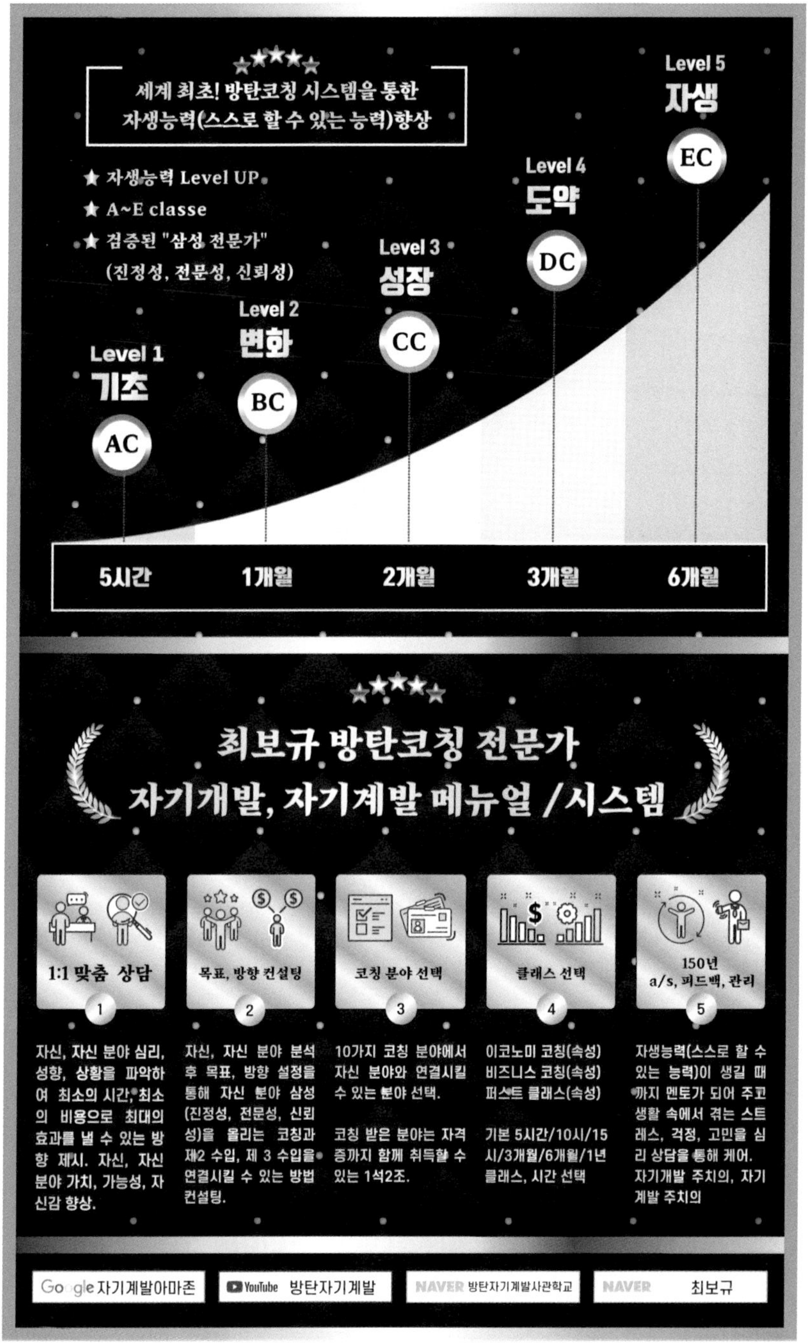
세계 최초! 방탄코칭 시스템을 통한
자생능력(스스로 할 수 있는 능력)향상
★ 자생능력 Level UP
★ A~E classe
★ 검증된 "삼성 전문가"
(진정성, 전문성, 신뢰성)
Level 1
기초
AC
Level 2
변화
BC
Level 3
성장
CC
Level 4
도약
DC
Level 5
자생
EC
5시간
1개월
2개월
3개월
6개월
최보규 방탄코칭 전문가
자기개발, 자기계발 메뉴얼 /시스템
1:1 맞춤 상담
1
자신, 자신 분야 심리, 성향, 상황을 파악하여 최소의 시간, 최소의 비용으로 최대의 효과를 낼 수 있는 방향 제시. 자신, 자신 분야 가치, 가능성, 자신감 향상.
목표, 방향 컨설팅
2
자신, 자신 분야 분석 후 목표, 방향 설정을 통해 자신 분야 삼성(진정성, 전문성, 신뢰성)을 올리는 코칭과 제2 수입, 제 3 수입을 연결시킬 수 있는 방법 컨설팅.
코칭 분야 선택
3
10가지 코칭 분야에서 자신 분야와 연결시킬 수 있는 분야 선택.
코칭 받은 분야는 자격증까지 함께 취득할 수 있는 1석2조.
클래스 선택
4
이코노미 코칭(속성)
비즈니스 코칭(속성)
퍼스트 클래스(속성)
기본 5시간/10시/15시/3개월/6개월/1년 클래스, 시간 선택
150년
a/s, 피드백, 관리
5
자생능력(스스로 할 수 있는 능력)이 생길 때까지 멘토가 되어 주고 생활 속에서 겪는 스트레스, 걱정, 고민을 심리 상담을 통해 케어.
자기개발 주치의, 자기계발 주치의
Google 자기계발아마존
YouTube 방탄자기계발
NAVER 방탄자기계발사관학교
NAVER 최보규

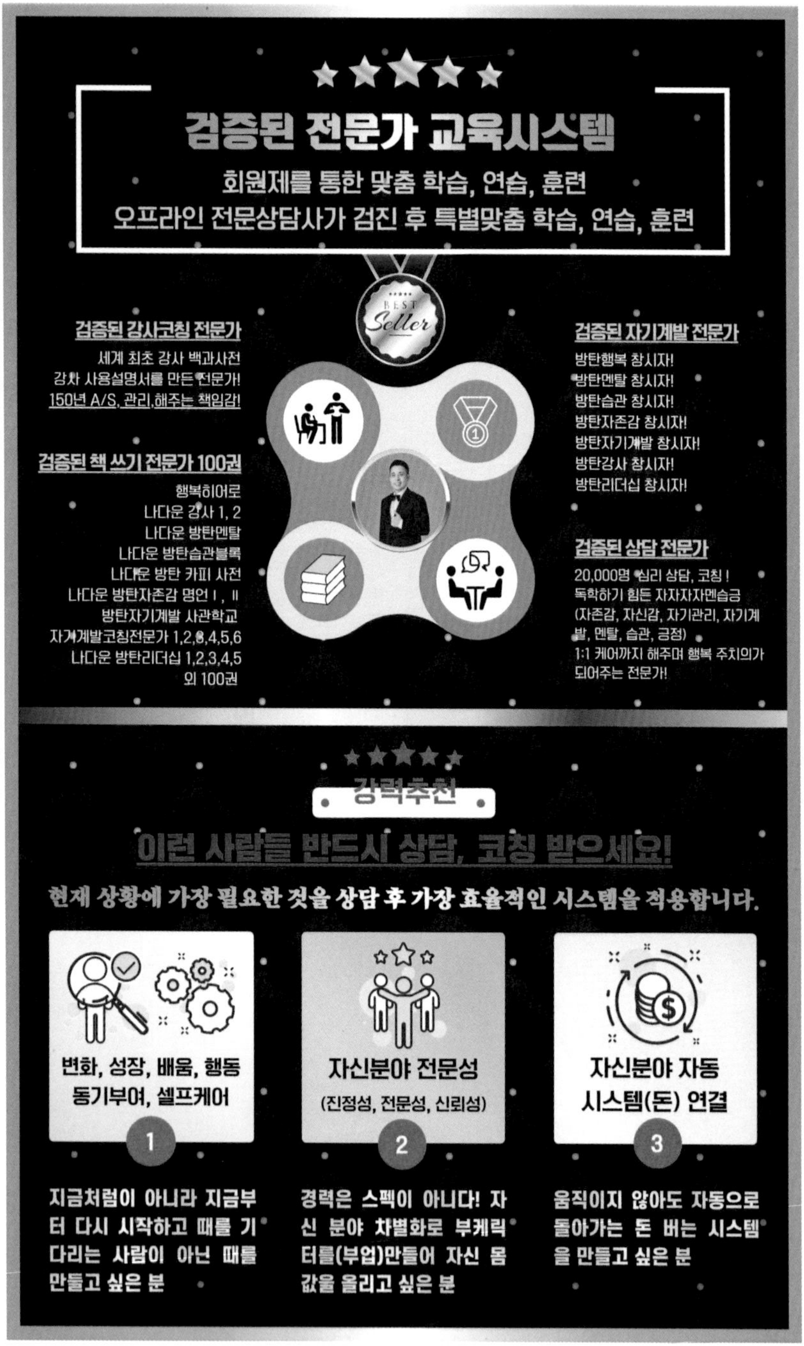
검증된 전문가 교육시스템
회원제를 통한 맞춤 학습, 연습, 훈련
오프라인 전문상담사가 검진 후 특별맞춤 학습, 연습, 훈련
BEST Seller
검증된 강사코칭 전문가
세계 최초 강사 백과사전
강사 사용설명서를 만든 전문가!
150년 A/S, 관리,해주는 책임감!
검증된 책 쓰기 전문가 100권
행복히어로
나다운 강사 1, 2
나다운 방탄멘탈
나다운 방탄습관블록
나다운 방탄 카피 사전
나다운 방탄자존감 명언 Ⅰ, Ⅱ
방탄자기계발 사관학교
자기계발코칭전문가 1,2,3,4,5,6
나다운 방탄리더십 1,2,3,4,5
외 100권
검증된 자기계발 전문가
방탄행복 창시자!
방탄멘탈 창시자!
방탄습관 창시자!
방탄자존감 창시자!
방탄자기계발 창시자!
방탄강사 창시자!
방탄리더십 창시자!
검증된 상담 전문가
20,000명 심리 상담, 코칭 !
독학하기 힘든 자자자자멘습긍
(자존감, 자신감, 자기관리, 자기계발, 멘탈, 습관, 긍정)
1:1 케어까지 해주며 행복 주치의가 되어주는 전문가!
강력추천
이런 사람들 반드시 상담, 코칭 받으세요!
현재 상황에 가장 필요한 것을 상담 후 가장 효율적인 시스템을 적용합니다.
변화, 성장, 배움, 행동
동기부여, 셀프케어
1
자신분야 전문성
(진정성, 전문성, 신뢰성)
2
자신분야 자동
시스템(돈) 연결
3
지금처럼이 아니라 지금부터 다시 시작하고 때를 기다리는 사람이 아닌 때를 만들고 싶은 분
경력은 스펙이 아니다! 자신 분야 차별화로 부캐릭터를(부업)만들어 자신 몸값을 올리고 싶은 분
움직이지 않아도 자동으로 돌아가는 돈 버는 시스템을 만들고 싶은 분

인고의 시간을 거쳐 쌓은 소중한 자신 분야 경력을
왜? 썩히고 있는가?
쌓은 경력으로 온라인 건물주가 될 수 있다?
자신 분야를 방탄자기계발과 연결 수입 창출!
자신 분야
방탄자기계발
몸값 상승
책 출간
(종이책, PDF)
(인세 유산)
멘토가 150년
A/S, 관리
방 탄
동기부여
디지털콘텐츠
수입(100년)
불특정 다수와
비즈니스 연결
방 탄
자기계발
온라인콘텐츠
수입(100년)
코칭 수입
(100년)
온라인 건물주
(월세, 연금성)
재능 마켓
수입(100년)

특허청 등록
최보규 자기계발코칭 창시자
등록 번호: 제 40-2072344 호

명품 자기계발

명품 동기부여

★★★★★ 차별이 아닌 초월 시스템 ★★★★★

타사와 비교불가 초월 혜택!
자신 분야 온라인 건물주가 되어 100년 수입 창출!

Google 자기계발아마존 | YouTube 방탄자기계발 | NAVER 방탄동기부여 | NAVER 최보규

이코노미 PT

기본 5H : 500,000원

CHECK POINT

- ☑ 기본 1회(1일=5H)
- ☑ 6가지 수입 창출 시스템 매뉴얼 설명
- ☑ 150년 A/S

특허청 등록
최보규 자기계발코칭 창시자
등록 번호: 제 40-2072344 호

명품 자기계발

명품 동기부여

★★★★★ 차별이 아닌 초월 혜택 ★★★★★

Google 자기계발아마존 | YouTube 방탄자기계발 | NAVER 방탄동기부여 | NAVER 최보규

이코노미 PT

기본 5H : 500,000원

- ☑ 150년 A/S (세계 최초)
- ☑ 마스터한 분야 자격증 1종 취득
- ☑ 방탄자기계발사관학교 강사 위촉
- ☑ 방탄자기계발사관학교 마스터 위촉
- ☑ 비지니스 PT 10% 할인
  (10만원 상당)
- ☑ 퍼스트클래스 PT 10% 할인
  (30만원 상당)
- ☑ 마스터한 분야 실전 2시간 강의
  교안 제공. (강사료 200만원 상당)

명품 자기계발

특허청 등록
최보규 자기계발코칭 창시자
등록 번호: 제 40-2072344 호

명품 동기부여

★★★★★ 차별이 아닌 초월 시스템 ★★★★★

타사와 비교불가 초월 혜택!
자신 분야 온라인 건물주가 되어 100년 수입 창출!

Google 자기계발아마존 | YouTube 방탄자기계발 | NAVER 강사야 | NAVER 최보규

비지니스 PT

기본 5H : 500,000원

CHECK POINT

- ☑ 기본 1회(2~3일=10H)
- ☑ 6가지 수입 창출 시스템 실전 훈련
- ☑ 150년 A/S, 피드백

특허청 등록
최보규 자기계발코칭 창시자
등록 번호: 제 40-2072344 호

명품 자기계발

명품 동기부여

★★★★★ 차별이 아닌 초월 혜택 ★★★★★

Google 자기계발아마존 | YouTube 방탄자기계발 | NAVER 방탄동기부여 | NAVER 최보규

비지니스 PT

기본 10H : 1,000,000원

- ☑ 150년 A/S, 피드백
- ☑ 마스터한 분야 자격증 1종 취득
- ☑ 방탄자기계발사관학교 전임 강사 위촉
- ☑ 방탄자기계발사관학교 전임 마스터 위촉
- ☑ 퍼스트클래스 PT 10% 할인 (30만원 상당)
- ☑ 강사 맞춤 트레이닝 비대면 1회 제공 (50만원 상당)
- ☑ 마스터한 분야 실전 2시간 강의 교안 제공, 1:1 맞춤 교안 설명
(강사료 200만원 / 1:1 맞춤 100만원 상당)

명품 자기계발

특허청 등록

최보규 자기계발코칭 창시자

등록 번호: 제 40-2072344 호

명품 동기부여

★★★★★ 차별이 아닌 초월 혜택 ★★★★★

Google 자기계발아마존 | YouTube 방탄자기계발 | NAVER 방탄동기부여 | NAVER 최보규

퍼스트클래스 PT

기본 15H : 3,000,000원~

- ☑ 150년 A/S, 피드백, VIP맞춤 관리
- ☑ 자격증 3종 취득 (150만원 상당)
- ☑ 방탄자기계발사관학교 지회장 위촉
- ☑ 종이책, 전자책 출간 후 네이버 인물 등록
- ☑ 20H, 30H, 40H, 50H PT 20% 할인
- ☑ 강사 맞춤 트레이닝 대면 1회 제공 (50만원 상당)
- ☑ 프로필 유튜브 홍보 영상 제작 (100만원 상당)
- ☑ 마스터한 분야 풀 패키지 (교안 제공, 1:1 맞춤 교안 설명, 청강 1회 제공) (강사료 200만원 / 1:1 맞춤 100만원 / 청강 1회 200만원 상당)

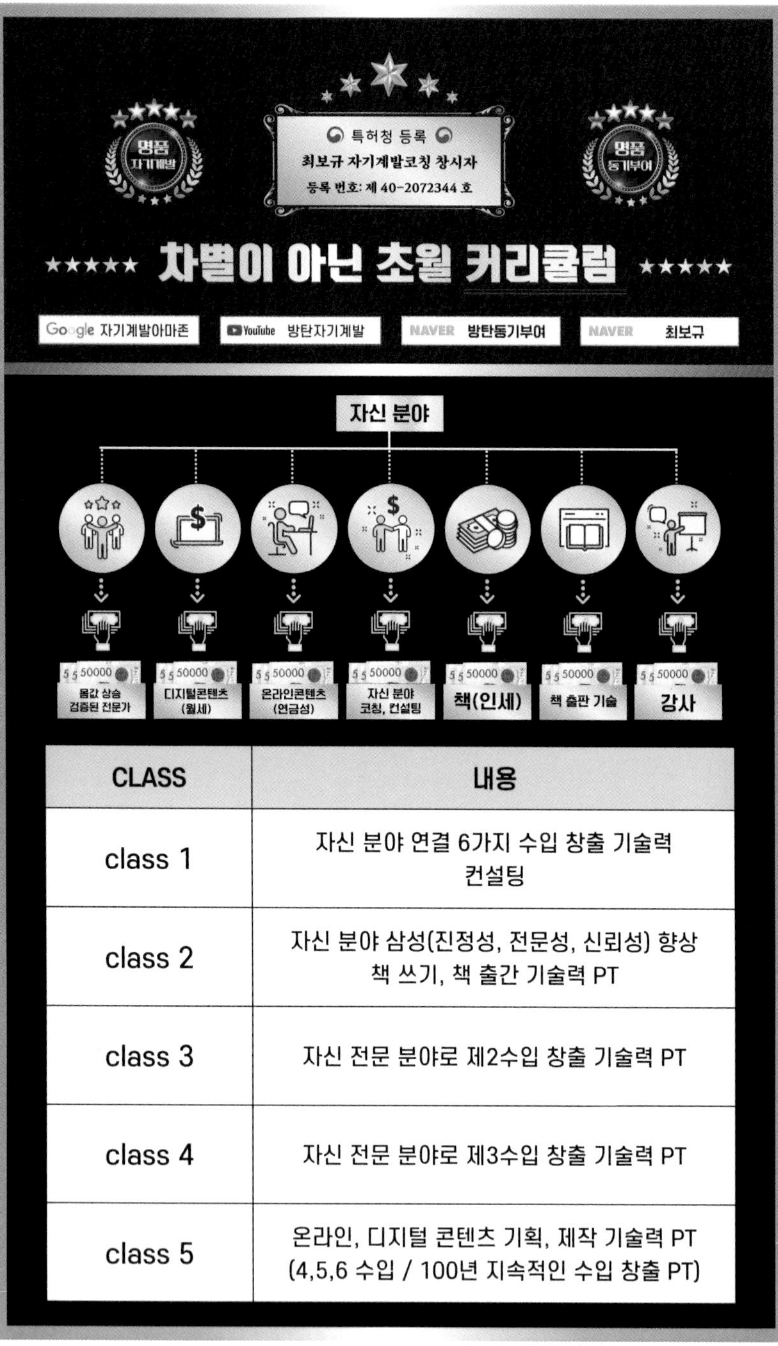

CLASS	내용
class 1	자신 분야 연결 6가지 수입 창출 기술력 컨설팅
class 2	자신 분야 삼성(진정성, 전문성, 신뢰성) 향상 책 쓰기, 책 출간 기술력 PT
class 3	자신 전문 분야로 제2수입 창출 기술력 PT
class 4	자신 전문 분야로 제3수입 창출 기술력 PT
class 5	온라인, 디지털 콘텐츠 기획, 제작 기술력 PT (4,5,6 수입 / 100년 지속적인 수입 창출 PT)

최보규 방탄동기부여 전문가
검증된 PT; 강의, 맞춤 코칭, 컨설팅
특허청 등록
최보규 자기계발코칭 창시자
등록 번호: 제 40-2072344 호
최보규 대표
010-6578-8295
특허청 등록
최보규 리더동기부여 코칭전문가
등록 번호: 제 40-2128786 호
방탄자기계발사관학교는 국가등록 민간자격증 발급 기관! 명품 인재 양성 기관!
리더십코칭전문가
동기부여코칭전문가
자기계발코칭전문가
강사코칭전문가
책쓰기코칭전문가
리더 분야
동기부여 분야
자기계발 분야
강의, 강사 분야
책쓰기, 책출간 분야
<저자 최보규>
<저자 최보규>
<저자 최보규>
<저자 최보규>
<저자 최보규>
방탄 리더십
리더 7대의무교육
리더 품위유지의무
리더 은퇴, 재테크
리더 동기부여
리더 스피치
리더 사명감, 인성
리더 기본기, 태도
리더 자존감, 멘탈
리더 습관, 행복
리더 인간관계
인재 양성 매뉴얼
리더 감정컨트롤
리더 스트레스관리
리더 라포형성기법
리더 상담기법
리더 코칭기법
리더 스토리텔링
7대 동기부여
변화,성장동기부여
비전 동기부여
열정 동기부여
사원 동기부여
임원진 동기부여
직급별 동기부여
사랑 동기부여
자존감 동기부여
자신감 동기부여
자기관리 동기부여
자기계발 동기부여
멘탈 동기부여
습관 동기부여
긍정 동기부여
인간관계 동기부여
인재양성 동기부여
행복 동기부여
7대 자기계발
변화,성장자기계발
비전 자기계발
열정 자기계발
사원 자기계발
임원진 자기계발
직급별 자기계발
사랑 자기계발
자존감 자기계발
자신감 자기계발
자기관리 자기계발
자기계발 자기계발
멘탈 자기계발
습관 자기계발
긍정 자기계발
인간관계 자기계발
인재양성 자기계발
행복 자기계발
강사 7대 의무교육
강사 인성, 매너
강사 품위유지의무
강사1~3년 차
강사료 올리기 위한 준비, 스펙 쌓기.
강사4~10년 차
강사료 올리기 의한 준비, 스펙 쌓기.
강사10~20년 차
강사료 올리기 위한 준비, 스펙 쌓기.
강사 스킬UP
강사 트레이닝
강의 스토리텔링 기법
강의 SPOT 기법
강사 양성 매뉴얼
강사 양성 시스템
책 쓰기 동기부여
책 출간 동기부여
작가 품위유지의무
책 쓰기, 책 출간 10G 매뉴얼, 시스템.
100권 출간으로 월세, 연금성 수입 창출전수.
강의 교안으로 책 쓰고 책 출간.
출간한 책으로 강의 교안 작업.
출간한 책으로 온라인, 디지털 콘텐츠 제작.
6가지 수입을 창출 하는 책 쓰기, 책 출간.
100년 지속 할 수 있는 기술력을 배우는 책 쓰기, 책 출간.
Google 자기계발아마존
YouTube 방탄자기계발
NAVER 방탄자기계발사관학교
NAVER 최보규

명품 자기계발
방탄 동기부여
명품 동기부여
방탄동기부여 전문가
www.방탄자기계발사관학교.com
방탄리더 동기부여
1
BOOKK
최보규 대표
상담, 코칭, 강의, 컨설팅 문의
010-6578-8295
어제의 나는 잊어라!
살아온 날로 살아갈 날단정 짓지 말자!
자신을 못 믿겠다면 자신을 믿어주는
최보규 방탄동기부여 전문가를 믿고 시작합시다!
세상, 현실아 덤벼라!
몸, 머리, 마음을
강하게 해드립니다.!
Google 자기계발아마존
YouTube 방탄자기계발
NAVER 방탄동기부여
NAVER 최보규

◈ 참고문헌, 출처

<망고보드>

《300만원 동기부여 강의》 최보규, 부크크, 2023

《1조 리더십 강의》최보규, 부크크, 2023

<브론치 라운드에 지혜, 구선생>

《강의력》

《리더의 방탄 인간관계 7》최보규, 부크크, 2023

《리더십 PT 1》최보규, 부크크, 2023

《나다운 방탄습관블록》최보규, 부크크, 2021

《방탄리더 동기부여 1》최보규, 부크크, 2023

무료 목업 사이트 https://diybookcovers.com/

유료 목업 사이트 플레이스잇 https://placeit.net/

파워포인트

<유튜브 PPT디자인, 중중이는 작업중>

<네이버 블로그 With PPT 요모조모>

유페이퍼

PPT로 책 출간 2

(출판계의 혁신! 6가지 시스템 수익 창출 책 출간!)

발 행 | 2024년 02월 25일
저 자 | 최보규, 서윤희
편 집 | 최보규, 서윤희
디자인 | 최보규, 서윤희
마케팅 | 최보규
펴낸이 | 한건희
펴낸곳 | 주식회사 부크크
출판사등록 | 2014.07.15.(제2014-16호)
주 소 | 서울특별시 금천구 가산디지털1로 119 SK트윈타워 A동 305호
전 화 | 1670-8316
이메일 | info@bookk.co.kr

ISBN | 979-11-410-7228-5

www.bookk.co.kr